D0656018

10
18

12, AVENUE D'ITALIE. PARIS XIIIe

Sur l'auteur

Colin Harrison est né dans la région de Philadelphie. Il est l'auteur de cinq romans, dont *Havana Room*, *Manhattan nocturne* et *La nuit descend sur Manhattan*. Également éditeur, il vit aujourd'hui à Brooklyn.

COLIN HARRISON

L'HEURE D'AVANT

Traduit de l'anglais (États-Unis)
par Renaud MORIN

10
18

« *Domaine policier* »

BELFOND

Du même auteur
aux Éditions 10/18

Ce livre est une œuvre de fiction. Tous les personnages, les organisations et les événements dépeints dans ce roman sont le fruit de l'imagination de l'auteur ou utilisés fictivement.

Titre original :
Risk
publié par Farrar, Straus and Giroux, LLC, New York

ISBN : 978-2-264-05454-8

À Ilena Silverman,
collègue, éditrice, amie.

1

Un appel inattendu

Depuis que je fais ce métier, on m'a demandé de faire un tas de choses déplaisantes, et j'ai accompli ces tâches sans vraiment rechigner. C'est pourquoi certains événements survenus récemment dans mon existence n'auraient pas dû me bouleverser. N'auraient pas dû me sonner. Mais ils l'ont fait. Il faut dire que je ne suis plus tout jeune. Je commence à grisonner sérieusement, même si ma femme, Carol, prétend que ça lui plaît. À New York, les types comme moi finissent par accumuler les bosses, les bleus et les éraflures, exactement comme ces camionnettes de livraison déglinguées que l'on voit à Chinatown. Cabossées, esquintées, les suspensions flinguées. Le moteur fonctionne, mais pas à plein régime. Ça roule, pour l'instant. Fort kilométrage. C'est tout moi, surtout ces derniers temps, après ce qu'on m'a demandé de faire. Une tâche étrange et imprévue. Eh bien, je m'en suis acquitté, mais je ne peux pas dire que cela ait été une bonne chose pour quiconque, encore moins pour moi.

J'ai reçu l'appel le deuxième vendredi du mois d'avril dernier, par une journée froide et pluvieuse. Le cours du pétrole faisait le yo-yo, entraînant l'or et le dollar dans des directions opposées à chaque mouvement. Quand le pétrole plongeait, le dollar montait. Quand le pétrole montait, l'or montait. Quand le dollar était à la baisse, l'or était à la hausse. La Bourse, qui venait à peine de reprendre des couleurs après avoir tout juste dévissé, était à nouveau orientée à la baisse, et tous les gens que je connaissais espéraient que nous ne serions pas happés dans une spirale inflationniste géante alimentée par un dollar bon marché. Ou bien malmenés par une nouvelle et soudaine crise de confiance économique. Dans mon cabinet, beaucoup de gens faisaient sournoisement le plein d'or depuis des mois et s'estimaient sans doute malins de parier ainsi contre l'économie américaine. De mon côté, je n'avais rien manigancé pour me protéger de l'apocalypse financière du siècle. Mon seul souhait, c'était de rentrer à la maison et de dîner avec Carol, peut-être sur notre terrasse en buvant du vin bon marché. D'ordinaire, je lui demande si elle a eu des nouvelles de notre fille, Rachel, qui est en deuxième année d'université. Ou alors on cancane sur les voisins, en spéculant sur leur vie sexuelle, leur addiction aux médicaments, et leur équilibre psychologique général. Lorsqu'on vit dans un immeuble, on apprend des choses sur les gens, qu'on le veuille ou non. Sinon, on va souvent au cinéma à quelques blocs d'immeubles de là, sur Broadway. Ou bien on prend le métro jusqu'au Yankee Stadium, afin de voir un match. Ainsi va notre mariage ces temps-ci. Beaucoup de rituels domestiques, marqués par le déclin de la cinquantaine. La dispute occasionnelle et peu enthousiaste sur les sujets habituels. Histoire de purger les tuyaux. Mais on ne reste jamais fâchés très longtemps. Il y a du vin à boire, des potins à échanger. Carol et moi, on s'appelle en général vers quatre heures de l'après-midi pour décider du programme de la soirée.

Et c'est à ce moment-là que, ce fameux vendredi, Anna Hewes m'appela de l'autre bout de notre étage.

— George, je viens de parler à Mme Corbett.

— La vraie Mme Corbett ?

— Bien sûr, rétorqua Anna. Je viens vous voir.

Le défunt mari de Mme Corbett, Wilson Corbett, avait fondé le cabinet dans les années 60. Anna Hewes était la vieille secrétaire de Corbett – quand je dis « vieille », c'est au sens d'ex-secrétaire, mais aussi d'employée ayant depuis longtemps passé l'âge de la retraite. Anna passe son temps au bureau du personnel à présent ; ils lui ont dégoté un travail quand il est devenu évident que son efficacité diminuait. Elle continue néanmoins à arriver de bonne heure, à faire le café pour son service, à remplacer la réceptionniste pendant ses pauses, à classer des dossiers par ordre alphabétique, ce genre de choses. Dans le temps, elle occupait le centre de l'univers, lorsque Wilson Corbett suivait personnellement trente dossiers à la fois, parfois sur deux téléphones, gérant en même temps les patrons de Londres et les enquêteurs de Chicago. Cet homme était un volcan, un concentré d'énergie. Il avait Anna, et elle avait deux assistantes plus jeunes, qui faisaient de leur mieux pour suivre le rythme.

J'avais vraiment eu de l'affection pour lui, de l'admiration même. Et je lui devais beaucoup. C'était Wilson Corbett qui m'avait embauché quand j'étais gamin. Il m'avait sorti des eaux troubles du bureau du procureur du Queens dans les années 80. Depuis, je n'avais pas bougé. Après avoir pris sa retraite, il passait de temps à autre, pour humer le parfum du bon vieux temps, mais son déclin avait été rapide. Ces longues décennies de dur labeur l'avaient plus ou moins usé. Quelques années plus tard, il ne reconnaissait plus les gens, se perdait dans les bureaux. Ses visites se sont peu à peu réduites à la fête de Noël, où il serrait la main de ceux qui se souvenaient encore de lui, puis il a fini par quitter la scène et mourir, comme nous le faisons tous. Tout le cabinet assista aux obsèques. On ne s'était guère soucié de Mme Corbett, parce qu'elle était très riche, avait deux fils – des types de Wall Street, si je me souviens bien – et ferait ce que font les vieilles dames de Park Avenue à cet âge.

À cet instant, Anna Hewes passa la tête dans mon bureau. Elle prend grand soin de son apparence. Maquillage de bon goût, coloration impeccable, dentier fixé à la colle.

— Elle veut quoi, Mme Corbett ?

— Elle m'a demandé de bien vouloir dire à George Young de venir à son appartement aujourd'hui à cinq heures.

— C'est tout ?

— Si j'en savais davantage, je vous le dirais.

— Ça m'étonne qu'elle connaisse mon nom.

À ces mots, Anna me lança un petit regard avant de baisser les yeux, comme si elle gardait quelque chose pour elle-même. Je n'y prêtai guère attention ;

Anna fait partie du cabinet depuis si longtemps qu'elle est devenue un peu givrée. Au fil des années, j'ai constaté que quinze pour cent du personnel est inutile, incompétent, trop âgé ou carrément cinglé. Sans compter l'alcoolique ou l'héroïnomane de service. Cela fait un certain temps qu'Anna fait partie des quinze pour cent, et franchement, il m'est arrivé de me demander ce qu'elle faisait encore là. Mais c'est aux associés gérants de se soucier de ce genre de chose, pas à moi.

— Vous avez l'adresse ? finis-je par demander.

Anna me tendit un bout de papier.

— Cinq heures.

— Vous avez une idée de ce qu'elle veut ?

— Elle n'a pas dit grand-chose, sinon que sa santé était chancelante.

— Elle veut que je laisse tout en plan et que je me rende dans les beaux quartiers pour aller la voir, sans une seule explication ?

— C'est cela.

— Je préférerais y aller une autre fois, parce que, là, le moment est vraiment mal choisi.

— Elle veut vous voir maintenant.

— Jongler avec le sort de gens désespérés prend un temps considérable, Anna.

Elle me regarda de nouveau. Elle connaît son affaire, il faut bien lui reconnaître ça.

— Vous devez y aller, George, m'assura Anna avant de s'en aller.

Je retournai au travail qui m'attendait sur mon bureau. J'avais beaucoup à faire. J'ai toujours beaucoup à faire, et, en règle générale, le travail est terminé dans les temps. Le cabinet est très actif, traite à tout instant cent soixante dossiers environ. Pas mal pour une petite boutique tenue par quelques associés. Plus une poignée de bêtes de somme comme moi, et de jeunes prodiges qui ne restent pas longtemps une fois qu'ils se rendent compte qu'ils piétinent. Pourquoi ? Parce que Patton, Corbett & Strode a une clientèle très spécialisée. Un unique client, en fait, une très grosse compagnie d'assurances internationale basée dans une des grandes capitales européennes. Je ne citerai pas son nom, prestigieux et ancien. Tout le monde en a entendu parler, mais cette compagnie est notre client, et nous préservons sa confidentialité. En entendant son nom, les gens se disent : « Que pèsent quelques centaines de milliers de dollars, voire un million, pour une compagnie comme celle-là ? » Un nom synonyme d'argent. Et cet argent, nous le protégeons. Surtout ces temps-ci, quand les risques sont si nombreux.

L'activité de notre client est simple. Certaines personnes ne peuvent pas s'assurer. Pourquoi ? Elles ont un jour déposé le bilan, ont des problèmes de crédit, ou possèdent des entreprises dans des secteurs à risque. Elles ont aussi parfois de drôles d'accointances. Un casier judiciaire. Ou une nationalité douteuse. Quand on y regarde de plus près, elles ne sont pas ce qu'elles affirment être. Quelle que soit la raison, ces gens n'arrivent pas à obtenir de couverture en cas d'incendie, de vol, de catastrophe naturelle, de détournement de fonds, de mise en jeu de leur responsabilité civile, etc. Elles doivent néanmoins être assurées. C'est une obligation ! Quelqu'un exige qu'elles aient une couverture. Qui ça ? La banque, trop heureuse de leur accorder un très gros prêt hypothécaire. Ou bien les organismes de contrôle du gouvernement. Ou encore leurs associés en affaires. Mais comme le demandeur ne peut s'assurer auprès des compagnies nationales ou des courtiers ayant pignon sur rue, il paie plus cher… beaucoup plus cher. La compagnie dont nous avons tu le nom, basée dans une des grandes capitales européennes, leur extorque une prime monstrueuse, calculée sur la probabilité statistique que ces clients feront, après qu'un désastre leur sera tombé dessus, une demande d'indemnisation. C'est ainsi que le risque est monétisé. Ce qui peut être une activité très lucrative. La plupart des gens ne se rendent pas compte que l'industrie de l'assurance dispose de plus de deux cents ans de données sur les us et coutumes des êtres humains.

Wilson Corbett lui-même ne disait pas autre chose : « On s'imagine que les compagnies d'assurances ne sont que des montagnes d'abstractions, m'avait-il confié un jour. Mais ce qu'elles font toutes, c'est quantifier les comportements humains défectueux. Elles savent qu'un pourcentage très constant de personnes tombent de leurs échelles, emboutissent leurs voitures, et mettent le feu à leurs commerces. Elles savent que les gens ont de fortes chances de tricher, de mentir et de voler. C'est plus fort qu'eux ! Et une chose entrera forcément en corrélation avec une autre, celle-ci avec une troisième. Les assureurs savent certaines choses sur les individus avant que ces mêmes individus ne les découvrent. Cela semble impossible, George, mais c'est vrai. J'ai vu des assureurs augmenter leurs primes parce que la cravate du client ou le genre de voiture qu'il conduisait n'était pas à leur goût. Et ils n'ont pas tort, cela dit. Tôt ou tard, il y aura un problème. »

C'est là que nous intervenons. Quand notre client reçoit une demande d'indemnisation qui ne lui plaît pas, qui lui paraît louche, nous entrons en scène. Je ne parle pas de tôle froissée ni de chutes plus ou moins provoquées. Je parle de fraude, d'incendie volontaire, de destruction d'archives. On commence par poser un certain nombre de questions. Comment l'entrepôt a-t-il brûlé ? Que contenait-il exactement ? Pouvez-vous nous montrer les reçus des fournisseurs afin d'établir l'inventaire ? Nous demandons toujours à recevoir les réponses par courrier. Pourquoi ? Parce que si un demandeur ment dans ses réponses et utilise la poste américaine pour ce faire, cela constitue un crime. Titre 18 du Code des États-Unis, chapitre 63, pour être précis. Nous mettons les enveloppes dans des fichiers d'archives spéciaux, afin que l'encre des oblitérations ne s'efface pas. De cette manière nous pouvons les utiliser comme pièces à conviction au cours de procès. Quand nous faisons remarquer que l'usage de la poste américaine à des fins frauduleuses constitue, en soi, un crime fédéral, cela a souvent un effet stimulant sur les plaignants : trop occupés à maquiller habilement tel ou tel autre détail, ils n'avaient pas pensé à cela. C'est un travail qui peut être excitant et un peu retors. Et c'est ça, je le confesse, qui en fait l'intérêt.

Tel est le métier auquel Wilson Corbett m'a initié il y a tant d'années. J'avais vite fait de me rendre compte qu'il fallait être inflexible et professionnellement méfiant. Mais j'aimais ce travail qui me permettait de payer mes factures depuis très longtemps. Je lui devais beaucoup, et je m'efforce de garder mes comptes à jour. Si la veuve de Wilson avait demandé à me voir, il fallait vraiment que j'aille voir ce qu'elle me voulait. En outre, si je lui faisais faux bond, elle solliciterait quelqu'un d'autre, et les associés gérants auraient pu apprendre que j'avais refusé son invitation. Cela entrait également dans ma motivation, je l'admets. On ne peut pourtant pas dire que cela m'ait réussi.

Je m'éclipsai à quatre heures et demie, ce qui n'est pas une mauvaise heure pour gagner le nord de la ville en taxi depuis le Rockefeller Center, et à cinq heures je me retrouvai dans le hall en marbre de l'immeuble de Mme Corbett. Le grand portier irlandais ressemblait à une pièce de bois fossilisé, et ses cheveux blancs et son uniforme bleu amidonné lui donnaient une allure d'amiral à la retraite.

Il était hésitant et m'examinait avec attention.

— Mme Corbett, vous dites ?

J'acquiesçai de la tête. Son attitude signifiait peut-être qu'elle recevait peu de visites.

Il composa un numéro et attendit.

— Oui, madame… oui, bien sûr, immédiatement.

Il reposa le combiné du téléphone, me toisa du regard.

— Pourriez-vous me rendre un petit service ?

— Lequel ?

— Vous serait-il possible de repérer les bougies ? Elle s'est mise à en allumer récemment et elle les oublie. Nous avons déjà eu deux incidents.

— Et si j'en vois ?

— Faites-le-moi savoir quand vous partirez. Je monterai les éteindre.

Quelques instants plus tard, je sonnai à la porte, qui s'ouvrit sur une femme maigre aux cheveux blancs. Elle resta là, le visage fermé, refusant la main que je lui tendais.

— Madame Corbett ?

Ses yeux quittèrent mon visage pour détailler mon costume, ma cravate et mes chaussures. Elle avait vu quantité d'avocats en son temps, et j'avais dans l'idée qu'ils ne l'impressionnaient guère.

— Vous êtes venu, finit-elle par dire, sans manifester la moindre gratitude.

Elle se retourna et, à pas comptés, me conduisit au salon, une grotte pleine d'oreillers. Il y régnait cette odeur de vieillesse et de maladie que les bougies aux flammes vacillantes ne parvenaient pas à masquer. Elle prit place sur un immense canapé.

— Monsieur Young, mon mari disait toujours que vous étiez un de ses plus brillants protégés, et je dois me fier à son jugement, voyez-vous.

— J'avais énormément d'affection pour M. Corbett, lui dis-je, heureux de lui faire cette confidence. C'est lui qui a créé le cabinet.

Elle s'installa plus confortablement. Ses chevilles étaient enflées comme le sont celles des personnes âgées.

— Je vais essayer de tout vous dire, commença-t-elle. J'ai quatre-vingt-un ans. La vie n'est plus tout à fait ce qu'elle était. Elle est devenue une succession d'événements douloureux, monsieur Young. De choses tout à fait inattendues.

Elle prit sa respiration, et, dans un souffle, m'annonça :

— Mon fils Roger est mort il y a peu de temps.

— Je suis navré de l'apprendre. Je ne pense pas que le cabinet en ait été informé.

Mme Corbett hocha la tête d'une manière qui signifiait qu'elle préférait ne pas se laisser gagner par l'émotion.

— Il n'avait que cinquante et un ans. Divorcé, hélas. Il avait connu des difficultés d'ordre professionnel. Il était marié depuis vingt-trois ans. J'aime vraiment beaucoup la femme de Roger, son ex-femme, je veux dire. Elle a toujours été très gentille avec moi, comme une fille. Avez-vous jamais rencontré Roger ?

— C'est possible, s'il venait aux fêtes du cabinet.

Elle soupira.

— Toujours est-il qu'il a été tué dans un accident. Un accident des plus stupides. Je ne tiens pas à vous le décrire, mais toutes les informations se trouvent là-bas, dans cette grosse enveloppe verte. (Elle désigna du doigt une table en acajou.) Il venait de sortir d'un bar. Il y était resté tout seul pendant presque quatre heures. C'est tout ce que je sais. Ce n'était pas un grand buveur, pas du tout le genre d'homme à traîner dans un endroit pareil.

— Je vois.

Mme Corbett me dévisageait intensément à présent.

— Monsieur Young, vous devez également savoir que je dois me faire opérer du cœur dans six semaines. Une de mes valvules n'est plus du tout étanche. Ils disent que si je ne passe pas entre les mains d'un chirurgien, je serai morte dans trois ou quatre mois environ. Aussi morte qu'une poignée de porte, comme disait mon mari. Et si par chance je survis, je serai comme morte de toute façon.

Elle lissa un coussin de sa vieille main.

— Je vais donc me conformer à l'avis des médecins. Même si c'est une opération qu'on ne tente presque jamais à mon âge. Un organisme âgé s'accommode mal de la chirurgie. Ils me donnent quarante pour cent de chances.

Une mauvaise cote, mais c'était un risque à courir.

— L'opération a seulement été pratiquée deux fois l'année dernière à Manhattan sur des gens de mon âge. L'un d'eux est ce sale bonhomme... comme s'appelle-t-il déjà, très riche, celui qui change de femme tous les dix ans environ. Avec ces affreux cheveux orange. Mon mari jouait au golf avec lui et disait qu'il trichait quand il envoyait la balle dans le rough. Eh bien, celui-là a survécu, malheureusement. L'autre, une crème d'homme, est resté sur le billard.

— Si je comprends bien, soit vous mourez pendant l'été, soit vous vous faites opérer et vous vous donnez une chance de vivre encore quelque temps.

— On me promet jusqu'à cinq ans de sursis. Je pourrai voir mes petits-enfants entrer dans l'âge adulte. Ce serait fichtrement bien. Ça en vaudrait la peine, j'espère. Mais si je vous ai contacté, c'est parce que je désire savoir quelque chose avant l'opération.

Elle marqua un temps d'arrêt, contemplant ses bougies.

— Je veux savoir pourquoi mon fils est resté quatre heures dans ce bar.

Sa voix vibrait de frustration, de colère même, et elle faisait tourner le bracelet en or qu'elle avait au poignet.

— Je veux savoir ce que Roger *a fait pendant tout ce temps.*

— Vous voulez savoir pourquoi il est décédé ?

— Non. Je sais que sa mort était accidentelle, et que cela s'est produit juste après qu'il est sorti du bar. Mais il était dans cet établissement pour une raison précise.

— Et vous voulez que je découvre laquelle ?

Elle hocha la tête.

La ville était pleine d'ex-inspecteurs de police qui avaient du mal à payer la pension alimentaire de leurs enfants et qui essayaient d'arrondir leurs maigres retraites octroyées après vingt ans de bons et loyaux services.

— Pourquoi ne pas engager quelqu'un qui… ?

— Je l'ai fait, monsieur Young. Il m'avait été chaudement recommandé. Il a réussi à obtenir certaines des informations qui se trouvent dans l'enveloppe verte. Cependant il a échoué. Il a dit qu'il avait essayé mais que cela était impossible.

— Je ne vois pas pourquoi je… ?

— Mon mari estimait que vous étiez très capable. Il disait que vous étiez obstiné. J'ai gardé le contact avec Anna Hewes. Je sais qui fait quoi là-bas… Je pourrais vous étonner.

Je doutais qu'Anna en sût plus que ce qui se disait autour de la machine à café de son service, mais c'était peut-être suffisant.

— J'ai conscience que votre temps est précieux, poursuivit Mme Corbett, et que cette démarche est susceptible de vous en faire perdre beaucoup, aussi suis-je on ne peut plus disposée à payer ce qui vous semblera…

Je secouais déjà la tête.

— Si je vous aide, je n'accepterai pas le moindre argent. Disons que ce sera pour moi l'occasion de rembourser une vieille dette de gratitude envers M. Corbett, d'accord ?

Elle parut contente d'entendre cela. Quant à moi, je me sentais plutôt cafardeux.

— Cette enveloppe contient d'autres informations concernant Roger. Son adresse, entre autres. Et aussi quelques papiers, des clés.

J'avais des tas de questions à poser, mais Mme Corbett se leva, au prix d'un effort démesuré. Elle garda une main sur l'accoudoir du canapé. De l'autre, elle, me tendit la grande enveloppe verte.

— Je vais avoir besoin de quelques jours de réflexion, dis-je.

Mais nous savions tous les deux que j'allais accepter.

Alors que je sortais de l'immeuble, je croisai l'amiral dans le hall.

— Six bougies, lui dis-je. Cinq dans le salon, une dans l'entrée.

Il effleura la visière de sa casquette bleue.

— Merci mille fois.

Je pris un taxi pour rentrer chez moi et, sur le trajet, j'appelai Carol, qui était déjà à la maison, pour lui raconter ma visite à Mme Corbett. Elle n'avait pas l'air de m'écouter. En revanche, elle paraissait essoufflée.

— Qu'est-ce que tu fais ? demandai-je.

— Je suis trop énervée pour te le dire.

Carol travaille au service conformité et sécurité financière d'une très grosse banque new-yorkaise dont je tairai également le nom. Cette banque, vous la connaissez ; elle possède des succursales à tous les coins de rue. Elle a survécu de justesse à la récente catastrophe financière du siècle en acceptant de manger tout cru un de ses concurrents insolvables, à condition que le gouvernement lui donne l'argent pour le faire. Naturellement, la banque en est ressortie plus grosse et plus puissante que jamais. En tant que personne morale, elle a su habilement s'implanter sur tous les grands marchés internationaux, achetant des politiciens en fonction de ses besoins, grappillant des parts de marché au détriment des banques nationales, adaptant son image à la culture locale dans pas moins de cent six pays. Les fonds souverains adorent cette banque et possèdent de gros paquets d'actions. Étant d'un naturel soupçonneux, Carol a bien réussi dans son travail. Nous habitons dans le West Side, avec notre fille, heureux propriétaires d'un bel appartement de trois chambres. Nous l'avons acheté dans les années 90, à l'époque où les agents immobiliers étaient au pain sec. Vers le milieu de la décennie, ils ont commencé à faire du gras. Et puis ils ont explosé. Les voilà de nouveau au pain sec. La ville passe par ces cycles, et pour peu que vous ayez vécu ici suffisamment longtemps, vous les sentez aller et venir. Vous voyez l'argent échauffer la cité, rendre les gens dingues.

J'arrivai à la maison, jetai mon manteau sur la table.

— Yanks-Boston ce soir, annonçai-je.

— Pas assez bien, rétorqua Carol. Je veux voir Joba.

Les Yankees jouaient effectivement à Boston ce soir-là, avec Chien Ming Wang au lancer. Le match serait retransmis à la télévision. Mais Carol ne s'en satisferait pas. Celui qu'elle voulait voir, c'était Joba Chamberlain, le lanceur prodige des Yankees, en personne, et si possible du premier rang.

Je lui avais promis de prendre des billets pour le match retour qui se jouerait la semaine suivante. Ce que je n'avais pas encore fait, peut-être parce que je pleurais encore le départ de Joe Torre, le manager, et on pouvait me tenir tous les discours rassurants du monde, j'étais désemparé pour un sacré bout de temps. Quand vous suivez une équipe, vous tissez des relations intenses avec elle. Les Yankees avaient encore Mariano, Pettitte, Posada, et Jeter. Mais ils se faisaient vieux. Et Alex Rodriguez s'était fait pincer pour dopage aux stéroïdes. Je ne m'en suis toujours pas remis.

J'entendis un bruit d'aspirateur. Et puis plus rien. J'allai dans la chambre, où Carol était en train d'examiner notre chat obèse, qui ronronnait, ventre à l'air.

— Qu'est-ce qu'il a ?

— Des puces, voilà ce qu'il a.

Carol me regarda en fronçant les sourcils comme si c'était ma faute.

— Tu en vois ?

— Non, mais je les sens. Je sais qu'elles sont là.

Elle m'amuse, ma femme, la responsable de la conformité et de la sécurité financière, et elle le sait. Ce qui, bien entendu, l'amuse à son tour. Mais là, elle ne souriait pas.

— C'est comme cette Mme Corbett. J'y ai repensé. Elle te cache quelque chose, George. Une petite vieille qui te demande gentiment de lui rendre service…

— C'est une femme de plus de quatre-vingts ans qui a peur de mourir, Carol.

— Je doute que ce soit si simple.

— Elle vient de perdre son fils.

Cette information ne parut pas l'impressionner outre mesure.

— Quelle est la véritable raison de son appel ?

Je l'ignorais.

L'enveloppe verte de Mme Corbett resta posée sur notre buffet pendant notre dîner de sushis.

— Tu n'as pas l'intention de l'ouvrir ? demanda Carol en la désignant avec ses baguettes. Pour voir ce qu'il y a à l'intérieur ?

Dans mon métier, qui consiste à enquêter et à faire obstacle aux demandes d'indemnisation frauduleuses, on développe une relation psychologique complexe avec les enveloppes fermées de tous types. Les enveloppes en papier ordinaire, les plis interservices avec la petite ficelle rouge. Avant d'ouvrir une enveloppe, on ignore ce qu'elle contient, on n'est pas tenu d'adopter telle ou telle ligne de conduite. On est dans la situation du parfait innocent au regard de son contenu. Celui-ci peut être véridique, faux, incomplet, hors de propos, ou bien fournir la preuve flagrante d'une intention délictueuse. Mais quel qu'il soit, il n'est pas encore dans votre tête. Il ne vous tracasse pas. Il ne trouble pas votre sommeil, l'image que vous avez de vous-même, ou votre foi dans l'humanité. Lorsque l'enveloppe est ouverte, en revanche, ce qu'elle révèle s'incruste aussitôt dans votre cerveau, qui va devoir faire avec.

Le dîner terminé, je décachetai l'enveloppe verte et la secouai au-dessus de la table de la salle à manger. Il en tomba une dizaine de feuilles de papier, une enveloppe plus petite et un DVD sans étiquette. Ainsi que la carte de visite d'un certain James Hicks, détective privé.

Carol étala les papiers.

— Ça n'a pas l'air particulièrement prometteur.

— Tu t'attendais à quoi ?

— Oh, tu sais, une carte au trésor, quelques photos volées, voire un petit bout de microfilm.

— Ça te fait rire tout ça, hein ?

— Je connais les sentiments que tu avais pour M. Corbett, dit-elle d'un ton radouci. Je comprends.

Elle prit la petite enveloppe et en sortit deux clés sur un anneau.

— J'ai néanmoins une humble requête.

— Envoie.

— Ne laisse pas cette petite enquête affecter notre paisible existence de couple d'âge moyen.

— Je te le promets, dis-je. Ça te va ?

Ces dernières années, je suis devenu, n'en déplaise aux fines bouches, un expert en bouteilles de vin rouge à quatorze dollars, et à ce moment-là, je me servis un verre de bonne dimension et m'installai avec les effets de Roger Corbett. Je commençai par examiner les clés – des clés de cadenas ordinaires, semblait-il, quoique de marques différentes. L'enveloppe dont elles provenaient renfermait également la carte magnétique en plastique d'un box de stockage situé dans un immeuble du centre. Les papiers comprenaient une photocopie du permis de conduire périmé de Roger Corbett. Un mètre quatre-vingt-deux pour quatre-vingt-six kilos (au moment de la délivrance du permis, en tout cas), yeux et cheveux bruns. Je scrutai son visage ; la photo, prise alors qu'il approchait la quarantaine, montrait un Blanc bien nourri avec une lueur d'assurance dans le regard. Le menton était fort, comme celui de son père, Wilson Corbett. Il portait un manteau et une cravate. C'était la photo d'un homme en pleine ascension. Je me rappelai sa mère évoquant des « difficultés d'ordre professionnel ». Entre le moment où cette photo avait été prise et sa mort, survenue à l'âge de cinquante et un ans, Roger avait donc connu un revers de fortune. Pas si étrange que cela ; New York avait une façon bien à elle de malmener les gens.

Il y avait également la copie d'un contrat de location d'un appartement en centre-ville, dans Broome Street, qui n'avait été signé qu'à la fin de l'année précédente. Le loyer était de mille sept cents dollars, ce qui, au vu des tarifs pratiqués à Manhattan, semblait indiquer que l'endroit était, dirons-nous, modeste.

Il y avait d'autres papiers, que je laissai provisoirement de côté. Nous traînons tous derrière nous une tornade de documents, mais que disent-ils de nous exactement ? J'ai autant de papiers qui tourbillonnent autour de moi que n'importe qui d'autre, et si vous en attrapiez une poignée, vous en sauriez long sur mon endettement immobilier, le niveau alarmant de mon taux de cholestérol et le nombre de grands crus internationaux à quatorze dollars que j'achète, mais vous ne sauriez pas à quel point je m'inquiète pour ma fille de dix-neuf ans, ni ce que je pense *vraiment* de la coupe de cheveux de ma femme ces temps-ci, ou encore que je m'étais complètement trompé sur l'espérance de vie que je prêtais à ma mère.

Je glissai le DVD dans mon ordinateur. Sur l'écran apparut l'image en couleurs de l'extérieur du Blue Curtain Lounge sur Elizabeth Street, avec un horodateur affichant « 1:32, 5/02 ». La vidéo, qui défilait à environ deux images par seconde, montrait la devanture sous un angle fixe, ce qui suggérait qu'elle avait été enregistrée par une caméra de surveillance. Des taxis passaient de gauche à droite, rectangles jaunes et flous progressant par saccades. Enfin, une silhouette en manteau sombre émergea – un homme d'une cinquantaine d'années poussant la porte du bar puis chancelant sur sa gauche vers le carrefour d'Elizabeth et Prince Streets. Il ressemblait plus ou moins à l'homme sur la photo du permis de Roger Corbett, avec quinze ans de plus, c'est-à-dire à des milliers d'hommes de cet âge. Il n'était pas ivre mort, pas même vraiment éméché. Il s'arrêta au carrefour, l'air pensif. Distrait, peut-être. Il descendit du trottoir, sur Prince, se ravisa, recula sur le trottoir, pivota sur la plante du pied droit et, face à la caméra, traversa d'un bon pas Elizabeth Street où des voitures passaient par intermittence dans la rue à sens unique. Presque simultanément il glissa la main gauche dans la poche de son manteau pour en extraire un petit bout de papier qu'il tenait manifestement à examiner – l'approchant de son visage, comme pour relire un message dont il venait de prendre connaissance –, quand le camion-benne d'une société privée qui arrivait sur sa droite le percuta de plein fouet, l'emportant vers Prince Street et hors du cadre de la caméra. Le bout de papier s'était échappé de sa main. J'appuyai sur Pause, revins en arrière et regardai le camion-benne traverser l'écran de gauche à droite en trois images saccadées. Il ne roulait pas plus vite que les taxis. À aucun moment Roger Corbett ne levait les yeux, pas même à l'instant du choc ; je fis jouer la barre de défilement de la vidéo d'avant en arrière, ramenant le camion sur la gauche, puis à nouveau à droite, pour m'en assurer. Non, pas la moindre réaction, pas de mouvement du menton, ni de la tête. Roger était tellement absorbé par ce morceau de papier qu'il ne s'était pas rendu compte qu'un camion roulant à cinquante à l'heure était sur le point de le percuter.

J'étais tétanisé. C'est ce que je voulais dire au sujet des enveloppes. La mort malencontreuse de Roger Corbett était désormais incrustée dans mon cerveau. Je sais que ces vidéos brutes sont aujourd'hui omniprésentes sur la Toile – l'Internet étant devenu une mine sans fond pour les accidents de voiture sur les autoroutes russes, les braquages d'épicerie dans les petites villes, les bagarres entre lycéens, voire les exécutions en temps de guerre –, n'empêche que cela faisait tout drôle de remonter le cours du temps jusqu'à l'instant précis où la vie de Roger Corbett avait pris fin. Mme Corbett avait-elle vu cette vidéo ? J'espérais que non.

Je relançai la vidéo. L'arrière du camion-benne disparaissait vers la droite, après quoi on voyait les voitures ralentir. Un homme arrivait en courant de la droite de l'écran, où le camion s'était vraisemblablement arrêté, puis s'engouffrait dans le Blue Curtain Lounge. Quelques personnes sortaient du bar, remarquaient l'agitation qui régnait dans la rue sur leur gauche, et se dirigeaient vers le lieu de l'accident, mus par une curiosité momentanée. Mais il ne fallait pas être neurochirurgien pour savoir que le moment où Roger Corbett avait posé ses yeux sur ce bout de papier avait été le dernier.

L'écran devint noir. Je fis défiler l'enregistrement en arrière jusqu'au moment du choc, espérant voir ce qu'il était advenu du papier que tenait Roger au moment de sa mort. On le voyait jaillir de sa main et être brusquement happé sur le flanc droit du camion lancé à vive allure, une moucheture de pixels blancs virevoltant comme une provocation sur le vert flou de la trémie. Puis le camion disparaissait, aspirant le papier dans son sillage. Pendant un moment je me demandai si je n'irais pas jeter un coup d'œil à ce carrefour et farfouiller dans les caniveaux. Mais qui s'est jamais garé dans les rues de New York sait que la municipalité est plutôt maniaque pour ce qui est de la propreté de sa voirie, et cette petite portion d'Elizabeth Street avait sans doute déjà été balayée une dizaine de fois depuis. Ce bout de papier, si fascinant pour Roger Corbett qu'il lui avait apparemment coûté la vie, avait disparu.

2

La « Tchéquienne »

Le lundi matin j'appelai James Hicks, le détective privé. Son bureau se trouvait dans le centre, sur Broadway, près de la mairie et des tribunaux. Sans doute une petite agence tenue par deux ou trois anciens flics qui arrivaient encore à se supporter. Quand Hicks apprit que c'était Mme Corbett qui m'avait donné son nom, il laissa échapper un long soupir agacé.

— J'ai mieux à faire, monsieur Young, que de discuter de cette affaire. Je préférerais me consacrer à une activité productive, comme me passer les dents au fil dentaire, par exemple.

— Vous avez dix minutes ?

— Elle vous paie, je suppose.

— Non.

Il manifesta son dégoût en se raclant la gorge.

— Dix minutes, répétai-je.

— Vous bossez où ?

— Rock Center.

Je l'entendis pianoter sur son clavier. Puis un silence pendant qu'il lisait son écran :

— Vous êtes avocat, et votre cabinet est spécialisé dans les affaires d'assurances à haut risque ?

C'est le monde dans lequel nous vivons. Ils ont votre nom, ils ont tout.

— Oui, c'est bien moi.

— Retrouvez-moi demain matin au Top of the Rock. Neuf heures, avant que les touristes débarquent.

Ce que je fis, arrivant trop tôt et m'asseyant dans un café pour dresser une liste de questions superflues. Même si je n'attendais pas grand-chose de Hicks, étant donné l'hostilité qu'il avait manifestée au téléphone, je me joignis à la file d'attente pour la terrasse panoramique. Il y avait surtout des scolaires et des touristes. Le New-Yorkais moyen ne monte jamais au sommet du Rockefeller Center. Une terrasse en plein ciel au soixante-dixième étage d'où on découvre la tour MetLife, le Chrysler Building. Brooklyn s'étend sous vos yeux. À mon avis, la vue y est plus spectaculaire que du haut de l'Empire State, parce qu'on peut faire le tour de la terrasse côté nord et voir Central Park plus facilement, grand rectangle vert enchâssé dans le damier de pierre. Un vent terrible soufflait de l'ouest, du New Jersey. Je restai à distance du bord parce qu'il me vient un drôle de flageolement dans les jambes si je me tiens trop près d'un précipice quelconque. Ça me fait ça depuis que je suis gamin.

— Monsieur Young, lança une voix.

Je me retournai. James Hicks était un homme de grande taille aux cheveux gris. Son manteau avait meilleure allure que le mien. Ainsi que sa chemise, sa cravate et ses chaussures. Ses yeux étaient froidement impassibles ; ils avaient vu plus de choses qu'un homme ne devrait en voir.

— Vos dix minutes sont entamées.

— Pourquoi avez-vous lâché l'affaire ? demandai-je.

— Il n'y avait rien là-dedans. Vous avez visionné la vidéo, non ? Le type sort du bar, le camion-benne arrive… boum, circulez, y a rien à voir.

— Mme Corbett voulait savoir ce qu'il faisait le soir de sa mort.

— Je lui ai dit, il était dans un bar, le barman se souvient de l'avoir vu assis dans un box. Il a peut-être passé quelques coups de fil. Ensuite il sort, hésite sur la direction à prendre, et vlan !

— Vous avez découvert ce qu'il y avait sur le bout de papier qu'il regardait ?

— Non.

— Vous avez interrogé l'entourage ?

Son regard s'échappa au-dessus de mon épaule gauche, puis revint se poser sur moi.

— Quelques personnes, oui. Il n'y a pas grand-chose à en dire, c'était un type de Wall Street qui n'avait pas la carrure. Un loser friqué. Sa femme l'a largué et est retournée vivre avec les gamins à San Diego chez ses parents. Elle est encore très canon, elle ne doit pas s'embêter là-bas.

— Vous êtes allé chez lui ?

— Non. Ça valait pas le coup. Mme Corbett m'a dit que l'appartement était vide, et j'ai supposé qu'il avait été reloué à quelqu'un d'autre de toute façon.

— Est-ce qu'il avait été arrêté ou condamné pour quelque chose ?

— Ce type ? Certainement pas.

— Vous avez vérifié son casier ?

— Pas besoin.

Je me rendis compte qu'il ne me restait plus beaucoup de temps.

— Où vous êtes-vous procuré la vidéo ?

— Je suis allé sur place et j'ai fait le tour des caméras de surveillance. La vidéo a été enregistrée par une caméra que le propriétaire du Blue Curtain Lounge a installée à ses frais. Elle est braquée sur son immeuble, au cas où il se passerait quelque chose. Il ne savait même pas que l'accident avait été filmé.

Cette information s'expliquait aisément ; certaines compagnies exigeaient désormais la surveillance vidéo de toutes les façades des immeubles qu'elles assuraient. Il est plus difficile de mettre le feu à votre propre bâtiment s'il est filmé jour et nuit et si toutes les allées et venues sont archivées.

Hicks jeta un coup d'œil à sa montre.

— Écoutez, je vais vous dire ce qu'il en est : c'est sûr que j'aurais pu en apprendre davantage sur ce Roger, mais bon, qu'est-ce que j'allais dire à sa mère ? La vieille est mourante. Quel mal y a-t-il à ce qu'elle meure sans tout savoir de son fils ? Qui va en souffrir ? Personne.

— Et qu'est-ce que vous lui avez caché ?

— Je ne dis pas qu'il y avait quelque chose en particulier. Mais que ça se pourrait.

Hicks laissa sa déclaration suspendue dans le vide tandis qu'il observait ma réaction.

— Si vous voulez mon avis, restez en dehors de ça.

— Vous étiez inspecteur ?

— C'est ce que disait mon insigne.

— Vous avez roulé votre bosse un peu partout ?

— J'ai fini à Brooklyn, à la criminelle.

Cet homme avait exploré les entrailles de la ville, il avait tout vu. Je revins à la charge :

— D'accord, avez-vous… ?

— Minute, champion, coupa Hicks. À mon tour de vous poser une question. Prêt ? Qui êtes-vous ? Sérieusement, qui *êtes*-vous, George Young ? Le savez-vous ?

Il attendit ma réponse. Comme je ne disais rien, il ajouta :

— Vous êtes un avocat qui remue des papiers dans un bureau, c'est ça ? Le cul bien au chaud dans un bon fauteuil ? Alors n'allez pas fourrer votre nez là-dedans. Les choses ne sont pas toujours ce qu'elles semblent être, compris ? Ne vous en mêlez pas. Rentrez chez vous et buvez une bière, vous me suivez ? Nous avons une petite vieille qui…

Mon portable sonna. C'était ma femme.

— George, tu es encore avec ce détective privé ?

— Oui.

— J'ai rentré son nom dans notre système, juste pour voir ce que ça donnerait. Parce que s'il n'est pas clair, ça pourrait me retomber dessus, tu comprends.

En tant que responsable de la conformité et de la sécurité financière, elle se devait d'être irréprochable.

— Ç'a donné quelque chose ? lui demandai-je.

Sa banque étant propriétaire d'une bonne partie des banques de dépôts de New York, il y avait de fortes chances que Hicks soit un de ses clients.

— Un compte professionnel. Avec des dépôts et des retraits importants en cash. Ça ne veut peut-être pas dire grand-chose. Il a pu t'aider ?

— Absolument pas.

— Laisse-moi lui parler.

— Ma femme veut vous dire bonjour, dis-je en tendant le téléphone.

Hicks me jeta un regard mauvais mais se saisit du téléphone. Je vis sa figure s'allonger peu à peu. Puis ses sourcils s'arquer brusquement. Il commença à argumenter, puis se ravisa.

Il me rendit le téléphone.

— Elle est coriace, votre femme.

Je savais ce qu'il pensait. *Cette bonne femme vient d'éplucher mes comptes bancaires*. Il regarda vers la pointe sud de Manhattan, les rues et les immeubles étalés devant nous. Il avait l'air dégoûté, mais son dégoût était complexe ; il contenait la répugnance qu'il éprouvait à mon égard, mais son mépris semblait également s'appliquer à lui-même, pour n'avoir pas eu le courage d'aller au bout de cette affaire. Mais il n'y avait pas que cela : il était conscient de me confier quelque chose de dangereux, de fâcheux et de répréhensible, une action qui, néanmoins, n'allait peut-être pas lui procurer un grand soulagement.

— Très bien, marmonna Hicks.

Il tira une fiche de sa poche de poitrine et me la tendit en la tenant par le bord. Un nom et un numéro y étaient inscrits en majuscules.

— Vous ignorez comment vous avez obtenu ce numéro, on est d'accord ? Vous voulez en savoir plus, très bien, libre à vous de jouer au héros. C'est par là qu'il faut commencer. Mais ne revenez pas me voir. Vous ne m'avez jamais vu, vous ne m'avez jamais parlé. Pigé ? Et, surtout, ne m'appelez plus jamais.

Il me jeta un regard dur. Le vent le faisait larmoyer. Puis il tourna les talons, les pans de son long manteau noir gonflés par le vent, et s'éloigna d'un pas rapide, me laissant seul au sommet de la grande et terrible ville, craignant la chute, comme beaucoup de gens.

On peut trouver sur l'Internet quantité d'informations sur un homme mort récemment pour peu qu'on y consacre un peu de temps, même si l'on est, par principe, opposé à la facilité de la démarche. Laissez-moi rectifier : on peut trouver quantité d'informations sur un homme mort récemment s'il faisait partie de l'univers dont l'existence est consignée sur la Toile, fût-ce de manière incomplète. En d'autres termes, s'il faisait partie de la société organisée et informatisée, comme ç'avait été le cas pour Roger Corbett.

Le nom sur la carte que Hicks m'avait donnée était celui de Roberto Montoya, mais avant d'appeler cet individu et de commencer à lui poser des questions, j'avais envie d'en savoir un peu plus sur Roger lui-même. J'avais vu sur la vidéo de la caméra de surveillance de quelle manière il était mort. Peut-être pourrais-je découvrir comment il avait vécu.

Le même soir, je me servis donc encore un verre de mon grand cru à quatorze dollars et me mis en quête de la dépouille numérique de Roger Corbett, disséminée sur des serveurs informatiques autour de la planète. Nous vivons une époque bien étrange. Je l'aime et je la déteste. Bien sûr, les informations que je glanai étaient morcelées, et certains faits suggéraient une interprétation qui était loin de pouvoir être démontrée. Une fois les informations mises en ordre, je commençai cependant à entrevoir quelque chose.

Roger Corbett avait fait ses études à Columbia, promotion 1981, et s'était spécialisé en économie. Il avait obtenu son MBA dans la foulée à la Tuck School of Business de Dartmouth, et, comme beaucoup de jeunes diplômés pourvus de bonnes références, il réussit à se faire embaucher dans une des grandes cellules financières de la ville, en qualité d'« analyste ». C'étaient les années 80. À trente et un ans, il épousa une certaine Valerie Caruth, vingt-deux ans, dont le père possédait une grosse concession Chrysler à Atlanta. Dans leur faire-part de mariage, Valerie Caruth était identifiée en tant qu'« actrice », mais les seules références que je pus trouver la concernant étaient des publicités pour des produits ménagers, du mobilier, et des voix pour des spots passant sur des radios locales. La photo la plus ancienne que je vis d'elle, prise des années plus tard, montrait une jeune femme piquante aux cheveux blond vénitien âgée d'une trentaine d'années. Elle possédait, dirons-nous, une plastique attrayante. Sur une photo plus récente, elle avait adopté le blond platine de Jessica Simpson. Apparemment, après ses études (SMU, promotion 1990), la piquante et de plus en plus blonde Valerie Caruth s'installa à New York où elle rencontra Roger Corbett, lequel poursuivait depuis six ou sept ans une carrière honorable à Wall Street et, pour résumer, possédait un grand nombre d'élégants costumes et cravates.

Mais Roger n'était pas un killer, pas un de ces jeunes loups qui finissent chez Goldman Sachs ou Morgan Stanley. Il ne faisait pas partie du haut du panier. Rares sont les élus, ne l'oublions pas. (Je me suis moi-même rendu compte il y a longtemps que j'étais, au mieux, suspendu au-dessous du second tiroir.) Or, à Wall Street, on peut très bien être un clown gonflable et gagner énormément d'argent. Il suffit pour cela d'être au bon endroit au bon moment, comme ce fut le cas dans les années 80 et 90. Et Roger Corbett semblait effectivement gagner énormément d'argent, au regard des critères de l'époque. Le couple s'installa à Mamaroneck, dans le quartier très huppé d'Orienta, en 1994, dans une maison de six chambres sur Cove Road qu'ils achetèrent pour un peu plus de deux millions de dollars. Ils étaient cités dans les rapports annuels de plusieurs organisations caritatives, et même s'ils ne faisaient généralement pas partie des donateurs les plus généreux, leurs contributions se situaient dans une moyenne tout à fait respectable, pour ce qui est de ces choses.

Roger et son fils, Timothy, avaient les honneurs d'un article consacré à une équipe locale de jeunes joueurs de lacrosse. Une photo couleurs montrait un Roger dont les cheveux bruns s'éclaircissaient, et qui s'empâtait au niveau du ventre, du torse et du visage. Le garçon, qui avait l'air d'un gentil gamin, se cramponnait à sa crosse avec enthousiasme. Le nom de Valerie Corbett commençait à apparaître en tant que « vice-présidente de campagne » pour plusieurs projets caritatifs. Roger soutenait financièrement divers hommes politiques d'envergure locale et nationale. Républicains et démocrates. Les sommes en question suggéraient non pas un accord sur des convictions mais plutôt une adhésion aux attentes d'autrui, peut-être celles de ses employeurs. Le nom de sa femme apparaissait sur le site d'un paysagiste local appelé Green Acres ; elle y faisait part de son expérience en ces termes : « Nous avons décidé que l'ancienne piscine était décidément trop petite, et après l'installation de la nouvelle, Green Acres est intervenu pour tout redessiner… le jardin à la française, les plantations autour de la terrasse, et le coin barbecue. Les travaux ont été effectués dans les temps et le chantier a été très propre. Nous sommes absolument enchantés du résultat. »

Professionnellement, Roger passa sans encombre le cap de l'an 2000, qui vit l'effondrement des valeurs technologiques, mais tout n'était pas rose. Sa femme et lui vendirent leur maison de vacances de Seal Harbor, sur l'île de Mount Desert, dans le Maine, et il quitta son travail peu après pour rejoindre une autre banque d'investissements. Dans cette ville, passé quarante-cinq, quarante-six ans, il faut assurer ses arrières. Roger resta deux ans dans son nouvel emploi, puis alla travailler ailleurs. Son nom était désormais cité comme l'un des huit gérants de portefeuille d'un nouveau fonds spéculatif baptisé Goliath Partners Event Dynamics and Global Sector Fund, créé début 2006 et domicilié aux Bahamas.

Était-ce censé être le gros lot ? À l'époque, de nombreux gérants de hedge funds s'étaient endettés à mort pour acheter des actifs immobiliers qui paraissaient fort lucratifs, et qui, plus tard, se révélèrent toxiques. Cette collaboration avait apparemment fait long feu, car un an plus tard Roger était associé à un nouveau projet sur Internet. Bien que je ne sois pas un expert en matière de fonds spéculatifs (qui l'est ? certainement pas les types qui les dirigent), j'en déduisis que cela pouvait signifier deux choses : soit qu'il avait été débarqué, soit que le fonds avait rapidement sombré. Il avait peut-être dit à ses collègues qu'ils prenaient trop de risques et ces derniers l'avaient viré pour pessimisme ? À moins que ce ne soit le contraire ?

Quoi qu'il en soit, Roger se lança dans ce projet sur Internet, en y investissant, à mon avis, une partie de son propre argent. Sa fonction antérieure de gérant de fonds spéculatif n'était pas mentionnée. Le projet consistait en la création d'une franchise d'agences immobilières en ligne qui fourniraient une analyse de marché « personnalisée et extraordinairement pointue » à des acheteurs potentiels haut de gamme. À mon avis, c'était de la poudre aux yeux, et vu ce qui est arrivé au marché immobilier à partir de 2007, je doute que le concept ait rencontré le succès escompté, quelque génial qu'il ait pu être. En tout cas, le site de la société était fermé, et je supposai qu'elle avait fait faillite.

Dans le même temps, la maison de Cove Road avait été vendue pour quatre millions quatre cent mille dollars, et Mme Corbett réapparaissait soudain à San Diego en tant qu'animatrice d'une émission culinaire diffusée gratuitement sur le câble. Son nom figurait également sur le site d'un organisme qui levait des fonds pour un grand hôpital local. Sur les photos couleurs, elle posait au côté d'un chirurgien cardiaque plutôt athlétique d'une soixantaine d'années, qui souriait à l'objectif avec une expression amusée et narquoise, une main négligemment passée autour de sa taille. J'examinai le cliché plus attentivement. Son expression pouvait se traduire ainsi : *Cette nuit, je vais donner du plaisir à cette femme, et pas vous.* Le toubib avait si bonne mine que je me demandai s'il ne prenait pas des hormones de croissance humaines, comme certains collègues plus âgés que moi, qui ne jurent que par ça, et qui font en sorte que vous compreniez bien leurs sous-entendus égrillards. À présent âgée d'une quarantaine d'années, Valerie Corbett n'avait rien perdu de ses charmes, elle était même plus séduisante que jamais.

Combien d'enfants avait-elle eus de Roger ? Hicks avait parlé de gamins, au pluriel. Et les gamins, ça coûte de l'argent. Si les Corbett avaient vendu leur maison pour plus de quatre millions de dollars, il leur restait certainement quelques millions supplémentaires en fonds de pension et économies. Mais rien de tel qu'un divorce pour consumer d'énormes sommes d'argent. Les avocats, l'entretien de deux foyers. Et ils avaient peut-être hypothéqué leur maison pour lancer la société. C'était le genre d'opération que les gens exécutaient les yeux fermés à l'époque, il y a quelques années à peine, c'est-à-dire une éternité. Ils avaient facilement pu y engloutir quelques millions.

Où Roger en était-il après tout ça ? Difficile à dire. La trace qu'il avait laissée sur la Toile s'interrompait brusquement l'été précédent. On le trouvait encore dans les Pages blanches, où un R. Corbett était domicilié sur Broome Street, dans le bas de Manhattan. Je vérifiai sur le plan ; l'adresse indiquée était proche de l'angle d'Orchard Street. C'était tout ; à partir de là, Roger avait cessé d'être un être virtuel et avait poursuivi son existence uniquement dans le monde réel.

J'éteignis l'ordinateur et parcourus mes notes. Les informations glanées sur l'Internet dessinaient en pointillé une trajectoire navrante et pourtant relativement courante. Parti dans la vie avec tous les atouts économiques et scolaires, Roger Corbett était un jeune homme moyennement capable qui, pour une raison ou pour une autre, s'était fait éjecter du train triomphant du capitalisme américain. Son divorce avait peut-être été la cause de sa chute, ou une de ses conséquences. Je pourrais, m'avisai-je, aller trouver son ex-femme et lui poser quelques questions indiscrètes auxquelles elle préférerait ne pas avoir à répondre.

Le lendemain matin, je mis la main sur la fiche que Hicks m'avait donnée et appelai Roberto Montoya. On décrocha, puis j'entendis un bruit de machine, de perceuse électrique peut-être. Qui cessa.

— Ouais ?

Je déclinai mon identité et l'informai que j'enquêtais sur Roger Corbett pour le compte de sa famille.

— Je savais que je recevrais un coup de fil de ce genre, soupira Montoya. Ça devait arriver.

— On pourrait se rencontrer ?

— Je serai au parc de l'American Legion samedi matin. J'ai un match à onze heures. Si vous voulez causer, pointez-vous avant.

Je lui demandai où se trouvait ce parc.

— Vous êtes pas de Brooklyn, vous.

— Non.

— Vous prenez le Belt jusqu'à Canarsie Pier, après quoi vous continuez tout droit sur Rockaway Parkway, c'est en plein sur Seaview, à un bloc sur votre droite.

— Merci.

— Ne me remerciez pas, prévint-il. J'ai encore rien fait pour vous, et c'est pas dit que je fasse quelque chose.

Le samedi de bonne heure, je dis à Carol que j'allais faire un tour à Brooklyn.

— Quoi ? Tu vas manquer le coup de fil de Mlle Rachel ?

Notre fille nous téléphonait de l'université le samedi matin. C'était un rituel. Elle avait eu une première année un peu agitée – histoires de cœur, sévérité de certains professeurs –, et nos conversations l'avaient aidée. Les partiels de printemps approchaient, et nous souhaitions garder un œil sur ses études. Carol secoua la tête.

— Tu sais, George, toute cette agitation autour de Roger Corbett, cette expédition divinatoire, m'enquiquine sérieusement. Tu es devenu un peu bizarre depuis que tu t'occupes de ça.

— Ah oui ?

— Tu ne t'en rends pas compte ?

— Si, maintenant que tu le dis.

— Et qu'est-ce qu'il faut en conclure ?

— À toi de me le dire, Carol, puisque tu sembles disposée à commenter mes faits et gestes.

Furieuse, elle ne réagit pas tout de suite ; la colère se trouvait être l'émotion que j'éprouvais également.

— Je ne veux plus perdre de temps à discuter de ça, George, tu nous en fais perdre suffisamment.

Heureusement que j'étais parti de bonne heure, parce que, avec la visite du pape, ça roulait très mal. Je rejoignis le FDR, filai sur le Brooklyn Bridge, bondis sur la Brooklyn Queens Expressway, puis sautai sur le Belt Parkway. Le Verrazano Bridge se dressait devant moi, les gros tankers à coque rouge remontant la rivière sur ma droite. Les gens qui habitent Manhattan oublient (s'ils l'ont su un jour) à quel point Brooklyn est étendu, si bien qu'il faut parcourir plus de vingt kilomètres avant d'arriver dans le Queens.

Je pénétrai sur les terrains de l'American Legion par une clôture grillagée. Le parking gravillonné était plein de 4 × 4 et de monospaces. Deux arbitres étaient en train de se mettre en tenue. Je me dirigeai vers un club-house posé au milieu de quatre terrains de base-ball. Cela faisait un moment que les poubelles n'avaient pas été vidées. Les terrains étaient situés juste au-dessous du couloir aérien de l'aéroport JKF, et, toutes les minutes environ, un gros-porteur passait lentement au-dessus de nos têtes.

Deux équipes s'échauffaient sur chacun des quatre terrains, la plupart des gamins étaient noirs ou latinos. Je trouvai Roberto Montoya sur l'un d'eux, occupé à frapper des chandelles vers ses joueurs de champ. Il était musclé du torse et des épaules, comme beaucoup d'entraîneurs de base-ball, et possédait un méchant coup de batte. Son équipe s'appelait les East New York Diamond Kings. Ses membres arboraient des uniformes rouge et vert vif, et avaient tout d'une petite équipe professionnelle, avec chaussures, chaussettes et poignets à leurs couleurs ; même les sacs étaient coordonnés. Montoya m'aperçut derrière le grillage, frappa encore quelque balles, puis céda la batte à un autre entraîneur.

— C'est vous, le type qui a appelé ?

Je hochai la tête. Il me serra la main sans conviction.

— La famille de Roger Corbett m'a demandé d'enquêter sur les circonstances de sa mort, résumai-je.

— Il s'est fait renverser par ce camion-benne sur Elizabeth Street.

— En effet.

Roberto Montoya remonta son pantalon de base-ball.

— Alors qu'est-ce qu'il y a à enquêter ?

— Certains éléments restent inexpliqués.

Il plissa les lèvres comme s'il avait un mauvais goût dans la bouche.

— Vous faites quoi, déjà ?

— Je suis avocat dans les assurances.

Cette information sembla le soulager.

— C'était juste pour savoir, parce que vous savez, les gens, ils peuvent perdre les pédales, des fois, se mettre…

— Comment avez-vous connu M. Corbett ?

— Moi ? J'étais son gardien. Je m'occupe de son immeuble.

Leur relation n'avait donc rien de louche. Je m'étonnai que Hicks, le privé, ait fait tant de mystères au sujet de l'identité de Montoya.

— Vous le connaissiez personnellement ?

— Non, pas vraiment, c'était bonjour-bonsoir. Il était discret, pas le genre à faire des histoires.

— Je cherche des gens qui le connaissaient relativement bien.

— Vous avez demandé à sa copine ?

— Non, qui est-ce ?

— La Tchéquienne, elle habite dans le même immeuble.

— Elle s'appelle comment ?

Il grimaça.

— Mince, c'est dur à se rappeler.

— Vous êtes le gardien de son immeuble et vous ne vous rappelez pas son nom ?

Il me regarda.

— Le problème, c'est que nos matchs, on les joue avec des battes en bois, vous comprenez. C'est la ville de New York qui a obligé toutes les équipes de lycée à passer des battes en métal aux battes en bois pour des raisons de sécurité, rapport à la puissance des coups. Moi, je suis pour, parce que le vrai baseball, ça se joue avec une batte en bois. Ça oblige à soigner les détails, à s'appliquer, à jouer les balles au sol. Tout compte, vous comprenez. On peut pas tricher. Mais s'ils étaient passés aux battes en métal, c'est que le bois, ça casse. Les gamins n'arrêtent pas de casser leurs battes. Aujourd'hui, mes gars vont en casser une, peut-être deux. Une bonne batte, une Sam Bat ou une Mizuno, ça va chercher dans les cent dollars pièce dans le commerce. Même une batte merdique, ça va vous coûter cinquante billets.

Et la plupart de ces gosses, leurs familles, elles roulent pas sur l'or, et notre club…

— Je peux sans doute apporter ma petite contribution, dis-je en sortant mon portefeuille.

— On vous en serait très reconnaissant, je peux vous le dire.

Je lui tendis une centaine de dollars.

Il souleva sa casquette rouge et vert, regarda à l'intérieur, et en extirpa un bout de papier. Qu'il déplia.

— Tenez.

C'était une photographie couleurs au format 8 × 10 humide de sueur représentant une main de femme, élégamment tournée vers le haut, avec un numéro de téléphone et un nom, Eliska Sedlacek, inscrits en dessous. Bizarre, vraiment bizarre. J'examinai le cliché, un peu perplexe.

Mon intérêt immédiat fit sourire Montoya. De son point de vue, j'en avais pour mon argent.

— Le truc, vous voyez, c'est que, quand vous êtes gardien, les gens arrêtent pas de vous poser des questions, et faut être préparé.

Il se retourna vers ses joueurs et leur cria en espagnol de se grouiller de rejoindre les abris. Nous en avions fini.

Les arbitres étaient prêts, et les parents installaient leurs pliants en toile. J'aurais aimé rester pour encourager l'équipe de Roberto, mais je devais retrouver cette Eliska Sedlacek, la petite amie de Roger Corbett. Je me demandai si sa charmante veuve, qui se promenait désormais au bras d'un riche chirurgien de San Diego, était au courant de son existence. Peut-être. Ça faisait beaucoup de peut-être. Eliska Sedlacek. Un nom que ma recherche sur Internet n'avait pas fait apparaître. Mais pourquoi en aurait-il été autrement ? Pour le meilleur ou pour le pire – probablement le pire –, Roger Corbett avait laissé son ancienne vie derrière lui avant de quitter la vie tout court.

3

Cinq à la suite

Dans mon métier, on a souvent affaire à des entrepreneurs indépendants qui, de manière générale, sont des gens ambitieux, sûrs d'eux, intelligents et bosseurs. Il est rare qu'ils aient des embêtements avant la quarantaine. D'abord parce qu'ils n'ont pas suffisamment accumulé de capital et d'envergure sociale pour avoir développé de vraiment grosses affaires, et ensuite, et c'est le plus important, parce qu'ils n'ont pas encore été assez malmenés par les affaires pour avoir eu le temps de prendre des risques inconsidérés. Non, ce sont les entrepreneurs plus âgés, les quadras et les quinquas, qui commencent à avoir des ambitions. Accros à l'endettement spéculatif, enhardis par leurs succès passés, ou simplement conscients que le temps est désormais contre eux, ils commencent à jouer avec le feu. Ils s'endettent encore davantage, fricotent avec des gens douteux, multiplient les petits arrangements entre amis, deviennent un peu négligents avec la paperasse. De plus, ils arrivent à un âge où les responsabilités s'accumulent : enfants, épouses, emprunts immobiliers, frais de scolarité, et j'en passe. Ils ne souhaitent pas s'attirer d'ennuis, mais un certain nombre d'entre eux se met néanmoins dans de sales draps, et plus leurs options se rétrécissent, plus ils donnent dans la pensée magique. Leur raisonnement est à peu près le suivant : *Je vais faire quelque chose que je ne devrais absolument pas faire, tromper tous les gens dont j'ai besoin avec mes mensonges les plus sincères, abuser les grandes multinationales anonymes, après quoi, ayant échappé à un sort pénible, je ne recommencerai plus jamais, je le jure... à moins d'y être vraiment contraint.*

J'ai ainsi passé une semaine dans une chambre de motel à Wheeling, en Virginie-Occidentale, à essayer de comprendre comment un homme possédant une fabrique de meubles avait pu réduire en cendres l'entreprise que son père et son grand-père avaient passé soixante ans à développer. Il avait estimé qu'il n'était pas en mesure de rivaliser avec les usines de Chine et du Vietnam qui produisaient les mêmes chaises et les mêmes tables en bois que lui, mais onze fois moins cher. Afin de rendre l'incendie plausible, il avait sacrifié toutes les archives et tous les souvenirs de l'entreprise, y compris le rocking-chair fabriqué à la main à l'occasion de la visite du président Dwight Eisenhower. Comment un homme (et ne vous y trompez pas, la plupart des grosses fraudes à l'assurance sont commises par des hommes) peut-il se résoudre à faire ça ?

Les déboires professionnels de Roger Corbett, bien qu'ils n'aient probablement rien eu à voir avec ce genre de magouille, dégageaient néanmoins le même parfum de désespoir silencieux, et je me demandai s'il n'était pas en train d'élaborer un plan pour se remettre en selle le soir où il avait été tué accidentellement à la sortie du Blue Curtain Lounge. Pour quelle autre raison serait-il resté dans ce bar si longtemps ? Eliska Sedlacek le savait peut-être. J'appelai le numéro imprimé sur la carte que Montoya m'avait donnée, n'obtins aucune réponse, et laissai un message.

Je rappelai le lendemain, laissai un nouveau message. Personne ne me rappela.

Ce soir-là, frustré d'être toujours au point mort, j'enfilai mon manteau à onze heures.

— Où est-ce que tu vas comme ça ? s'enquit ma femme.

Elle était en train de préparer son café pour le lendemain.

— Je pars faire la tournée des bars, dis-je, puis je lui exposai la situation.

— Tu mènes une vie de bâton de chaise, George Young.

— Oh, ça va.

— Tu connais quelque chose à la comptabilité dans la restauration ?

— Non.

— On ne t'a pas appris ça à la fac de droit ?

Je regardai ma montre.

— Si Roger Corbett a payé avec sa carte de crédit, alors le reçu est quelque part dans la comptabilité du bar. Ils les conservent pour pouvoir les comparer avec les documents émanant des sociétés émettrices de cartes de crédit, et s'assurer qu'ils reçoivent les sommes correspondantes. C'est important pour eux. Si tu pouvais jeter un coup d'œil à leur compta, ça te dirait combien Roger a dépensé ce soir-là, s'il s'était arsouillé ou pas. En partant du principe qu'il était seul.

— Mais s'il a payé en liquide, ta théorie ne vaut rien.

— Exact.

— Et je n'aurais pas de chance.

— En effet.

Carol arborait une certaine expression, *son* expression.

— Tu insinues que je serais plus chanceux si je restais à la maison ce soir ?

— Oh, on ne sait jamais, dit-elle d'un ton songeur. La chance, ça va, ça vient.

C'était bien vrai, mais je devais y aller.

— Fais-moi plaisir, rentre en taxi, dit-elle.

— Ne t'en fais pas.

Je la trouvais exceptionnellement patiente à mon égard.

— Rentre à une heure décente.

— D'accord.

— Et ne bois pas trop.

Quarante minutes plus tard j'étais dans le centre. Le Blue Curtain Lounge était situé à l'angle nord-ouest du bloc d'immeubles donnant sur Elizabeth Street. J'allai me poster en face et trouvai derrière moi la caméra qui avait saisi les toutes dernières secondes de l'existence de Roger Corbett. Elle était fixée au mur six mètres environ au-dessus du trottoir, globe oculaire encapuchonné qui allait maintenant enregistrer mon entrée dans le bar. L'idée d'être constamment filmé, où que nous allions, a quelque chose d'affreusement déprimant ; des caméras, la ville en compte désormais des dizaines de milliers, appartenant à des particuliers, à des commerces, à de grandes entreprises, et, bien entendu, aux services de police. On ne fera jamais machine arrière ; ma propre fille, Rachel, aura vécu toute sa vie avec une caméra braquée sur elle dans les lieux publics.

J'inspectai la chaussée au carrefour de Prince et d'Elizabeth pour tenter d'y retrouver des traces de l'accident survenu dix semaines plus tôt – une vieille traînée de sang, des traces de pneu –, mais évidemment rien n'indiquait qu'il s'était passé quelque chose d'inhabituel à cet endroit, que la vie d'un homme avait été brutalement interrompue. Effrayant mais pas surprenant. Lorsqu'on vit à New York depuis suffisamment longtemps, on est constamment confronté à l'indifférence de la ville. Partout – dans chaque rue, chaque bloc, chaque immeuble – des gens ont travaillé dur, ont perdu et gagné, ont vécu et sont morts, et presque rien ne subsiste de ce combat. Regardez les immeubles de bureaux éclairés ; ils sont des milliers à y trimer tous les jours, des milliers de vies s'y consument minute après minute. Je suis un de ceux-là, bien sûr, même si je préfère ne pas m'appesantir sur cette réalité.

Je poussai la porte du Blue Curtain Lounge. À l'intérieur, la lumière était tamisée à la perfection, créant une atmosphère à la fois sexy et mystérieuse. L'endroit était très fréquenté pour un soir de semaine, par des gens qui paraissaient avoir dix bonnes années de moins que moi.

— Vous prendrez quoi ? demanda le barman, qui appartenait à la sous-catégorie des crânes rasés.

Je commandai une bière et regardai autour de moi. Si j'avais eu à passer quatre heures dans cet endroit bruyant, j'aurais choisi un des box confortables où des jeunes gens étaient entassés par groupes de quatre ou cinq. Ils avaient l'air heureux et me firent penser à ma fille, qui avait certainement fréquenté ce genre d'endroit. Si vous êtes parent d'un adolescent à Manhattan, vous découvrez tôt ou tard qu'ils n'ont aucune difficulté à se faire servir de l'alcool, surtout dans certains restaurants indiens de l'East Village, et à Chinatown.

Je bus ma bière, lentement, puis une autre, que je fis durer en feuilletant tranquillement le *Daily News* du jour. Le pape avait passé la journée de la veille en visite, bénissant le site éventré du World Trade Center avant de se rendre au Yankee Stadium dans l'après-midi. Comme je l'espérais, le bar commença à se vider aux environs de minuit. Il fallait bien aller travailler le lendemain. Le barman me vit regarder les gens partir. Tout à fait le genre à s'appeler Mort.

— Maintenant que vous avez repéré les lieux, vous en pensez quoi ? demanda-t-il en posant une autre bière devant moi.

— La dernière fois que je suis resté dans un bar aussi longtemps, on pouvait encore fumer à l'intérieur.

— Ouais, je croyais que ça me manquerait, mais c'est mieux comme ça. Je vivrai quelques mois de plus.

Je le regardai droit dans les yeux. Il me lançait un regard peu amène, lèvres pincées et bras croisés.

— Vous voulez savoir ce que je fais ici.

— Je connais ma clientèle. Vous n'en faites pas partie.

— Il y a environ dix semaines, un type a passé quelques heures ici, et puis il est sorti vers une heure et demie du matin et il a été percuté par un camion-benne.

Le barman continuait à me fixer du regard. Sans confirmer, ni démentir.

— J'enquête sur cette histoire pour le compte de sa famille.

— Et ?

— Je me demandais si vous étiez présent ce soir-là, et si vous pouviez m'apprendre quoi que ce soit d'autre.

— Vous n'êtes pas le premier à me poser la question, admit-il.

— Vous avez peut-être parlé à un grand type grisonnant, un certain Hicks. Un inspecteur à la retraite. Long manteau, le genre distant. Il regarde les gens avec des yeux morts.

Le barman acquiesça d'un signe de tête.

— Il y a eu lui, entre autres.

— Entre autres ?

— C'est le troisième à qui j'ai parlé.

— Qui était le premier ?

— Un flic, le soir de l'accident. Il voulait savoir si le mort était suicidaire, ou si quelqu'un l'avait suivi à l'extérieur. S'il y avait des témoins, ce genre de trucs.

— Et la deuxième personne, c'était qui ?

— Je vois pas pourquoi je devrais vous le dire.

— En effet, vous n'avez peut-être aucune raison de le faire.

Mort soupesa cette déclaration.

— Allez-y, posez-moi vos questions.

— Son nom était…

— Roger Corbett. La petite cinquantaine, un nouvel habitué. Pas un gros buveur. De la bière seulement. Ça s'est passé un lundi soir. Et oui, j'étais là.

— Jusqu'ici ça va.

— Il était avec une grande fille mince. Elle avait un accent. Allemand, suédois, quelque chose comme ça. Je ne suis pas doué pour les accents, vu que j'ai les tympans quasiment flingués à force de travailler ici. Il a passé un moment avec elle, ils ont dîné tard, on sert jusqu'à onze heures et demie, et puis elle est partie. Un drôle de numéro, celle-là.

— Comment ça ?

— Elle portait des gants, à l'intérieur. Et elle les a gardés tout le temps.

— C'est tout ?

— Elle ne m'a pas plu, mais c'est peut-être moi qui ai un problème.

— Elle est partie, et ensuite ?

— Ensuite il est resté là, à lire les journaux, les pages sportives, tout ça. Pour tuer le temps, je crois, comme vous ce soir. Peut-être une heure. Et puis il a passé un appel sur son portable. Vers une heure et quart. On commençait à nettoyer. C'est plutôt tranquille à cette heure-là. On baisse la musique, on essaie de calmer les clients, de les faire sortir deux par deux. La plupart des bagarres éclatent après une heure du matin, d'après mon expérience. Il est donc resté un moment au téléphone et a écrit quelque chose sur une de nos serviettes en papier. On en a même discuté.

— Qu'est-ce qu'il a dit ?

— Il a vu que je le regardais, et, après avoir raccroché, il a dit : « Ma vie est de plus en plus bizarre. » Alors moi je demande : « Qu'est-ce qui s'est passé ? » Parce que dans mon boulot, on parle aux gens, forcément, on fait la conversation. Il a dit : « Avant j'étais marié et je vivais dans la banlieue chic. Maintenant, regardez-moi. » Alors moi, je lui fais : « Vous aviez une grosse tondeuse rouge ? » Et lui : « En fait, oui. Dix-huit chevaux. Ça vous dit tout. »

— Et après ?

— Après il a payé sa note…

— Par carte de crédit ? l'interrompis-je en me rappelant la question de ma femme.

— Non, il avait une liasse de billets. Il en a posé quelques-uns sur le comptoir, et…

— Où était la serviette en papier sur laquelle il avait noté quelque chose ?

— Dans sa main.

— Vous avez vu ce qu'il y avait dessus ?

— Non.

— Et ensuite ?

— Ensuite, il a mis son manteau, il a peut-être fourré les mains dans ses poches, comme on fait, vous savez, pour vérifier qu'on n'a rien oublié, clés, portable, et puis il est sorti et genre quarante-cinq secondes plus tard, quelqu'un déboule dans le bar en disant qu'un type s'est fait écraser par un camion-benne.

— Vous êtes sorti pour voir ?

Mort détourna le regard. Il avait l'air sur le point de décider quelque chose – non pas s'il devait ou non répondre à ma question, mais quelque chose de bien plus sérieux que cela. Il disposa deux petits verres sur le bar, les remplit de vodka, en fit glisser un dans ma direction, puis vida le sien, cul sec. J'examinai le mien, vis Mort qui attendait, et l'imitai.

— Oui, je suis sorti voir, et je n'aurais pas dû.

Il remplit de nouveau son verre, et le mien.

— Je ne suis pas un gros dur, pour être parfaitement honnête, je vis une petite vie tranquille, mon fils est autiste et c'est l'enfer pour ma femme.

Il vida son verre, toussota.

— Mon boulot me tient éloigné de la maison, vous comprenez ? J'ai ma dose de malheurs et je ne souhaite de mal à personne. Je ne savais pas ce qui m'attendait, et puis j'ai vu, j'ai vu ce type, Corbett, ce qu'il en restait, et c'est un truc qu'on n'a pas envie de se rappeler, malgré tous les films d'horreur qu'on a pu voir.

Je bus mon verre, pensant qu'on en resterait là. Mon truc à moi, c'est le vin rouge, après tout. Mais j'étais sûr que Mort s'en jetterait un autre. Il sourit tristement, souleva de nouveau la bouteille et remplit nos deux verres. Je soulevai le mien à sa santé, et nous trinquâmes.

— Merci, Mort.

— C'est qui, Mort ? demanda-t-il.

— Vous.

Il sourit.

— Si vous le dites. Pas un mauvais prénom, je suppose.

Sur quoi, on siffla nos vodkas. Ce verre-là, je le sentis passer dans mes orbites, curieusement.

— Laissez-moi vous dire deux choses, reprit-il, la voix un peu pâteuse à présent. Primo, je pense que la drôle de gonzesse avec les gants, c'est le genre à vous attirer des ennuis. Je sais pas à quoi ça tient, c'est juste mon bon vieux détecteur d'embrouilles qui me le dit.

À ce stade, ce type commençait à me plaire et, sortant mon portefeuille, j'alignai deux coupures de cinquante sur le bar.

— Mort, je paie tous les coups qu'on vient de s'envoyer, ça vous va ?

Il secoua la tête.

— Nan.

— Quoi ?

— Vous donnez trop.

Il remit une tournée. Aussitôt avalée. Je sortis une carte de visite et y notai mon numéro de portable.

— Vous essayez de me lever, là ? dit Mort en prenant la carte.

— C'est au cas où.

— Vous avez oublié quelque chose.

— Probablement.

— Je suis sérieux.

— Je me souviens de tout jusqu'ici, mais j'ai sans doute la mémoire qui flanche.

— Vous oubliez l'autre truc que j'allais vous dire.

— Exact, j'avais oublié.

Il remplit nos verres. Je n'avais plus envie de boire, mais je voyais bien qu'il le fallait si je voulais qu'il parle. Je vidai mon verre.

— Bien, dit Mort avant de faire de même. L'autre truc, c'est à propos du deuxième type, après le flic et avant le grand type, Hicks. Vous avez demandé qui c'était.

Je m'en souvenais vaguement.

— C'était pas ce qu'on pourrait appeler le genre affable. Il était trapu. Gaulé comme une boîte de sauce tomate. Mais c'est pas ça l'important.

Mes yeux réclamaient une ou deux semaines de sommeil.

— C'était quoi ?

— Il connaissait la fille aux gants, et c'était elle qui l'intéressait.

Cette information me sortit de ma torpeur.

— Pourquoi ?

— J'en sais rien. C'est lui qui posait les questions, si vous voyez ce que je veux dire.

Mort le barman pointa un pistolet imaginaire sur sa tempe.

— Alors si j'étais vous, ce que je ne suis assurément pas, je ferais en sorte de l'éviter, ce type.

Reçu cinq sur cinq. J'enfilai mon manteau, ouvris la porte en titubant, et m'immobilisai sur le seuil. Là, de l'autre côté de la rue, se trouvait la caméra de surveillance, cyclope hideux au casque de métal, voyant tout mais ne comprenant rien. Technologie stupide qui m'observait à présent. Me rappelant que c'était la même caméra qui avait filmé les derniers instants de Roger, un frisson me parcourut. Je brandis un poing menaçant vers l'objectif. *Tu as eu Roger*, pensai-je, *mais moi*, *tu ne m'auras pas.*

— Qu'est-ce qui s'est passé ? demanda ma femme le lendemain matin.

Je me rappelais être rentré en taxi, mais guère plus.

— J'ai pris une cuite avec Mort le barman.

— Tu as ronflé horriblement, on aurait dit un broyeur à ordures.

Je m'interrogeai sur la pertinence de cette analogie.

— George, tu étais vraiment obligé de te mettre dans cet état ?

Je fis un effort de mémoire.

— Probablement.

Carol était sur le départ, vêtue d'un de ses tailleurs en laine noire que je serais bien en peine de distinguer.

— Tu as appris quelque chose susceptible de justifier le calvaire que j'ai enduré cette nuit ?

Cela me prit un moment, mais ça finit par me revenir. La boîte de sauce tomate, l'index de Mort pointé sur sa tempe.

— Oui, répondis-je.

Ma femme était suspendue à mes lèvres, mais je ne lui dis rien. Et ce n'était pas la dernière chose dont elle ne saurait jamais rien.

Eliska Sedlacek finit par téléphoner à mon bureau le lendemain matin. Mais j'étais en ligne. Une énième affaire de cinquantenaire aux abois. Pourquoi sont-ils si nombreux en Amérique ? Le plaignant possédait un gros chantier naval ainsi qu'une marina à Pensacola, en Floride. Cette région, il faut peut-être le rappeler, avait été dévastée par l'ouragan Dennis en 2005. Dans cette affaire, l'assuré, un certain Otto Planck, avait rempli une déclaration de sinistre pour la perte de son voilier, le *Becky's Best Boy*, estimé à deux millions deux cent trente-huit mille dollars. Malgré des efforts désespérés, il n'avait pas réussi à mettre son bateau à l'abri, ce qui s'était soldé par l'intervention des gardes-côtes qui l'avaient récupéré sur un canot de sauvetage et la destruction totale du navire, qu'il prétendait avoir vu sombrer de ses propres yeux piqués par le sel. Un morceau de la coque en teck, rejeté sur une plage des environs, avait intrigué notre expert local. Le morceau d'étrave avait été brisé de l'extérieur, suite à un choc d'une grande violence apparemment. L'expert avait par ailleurs découvert qu'Otto Planck était un ancien SEAL, autrement dit un plongeur d'élite de la marine. Il savait manier les explosifs et était également à même de survivre dans des conditions climatiques extrêmes. Le voilier, construit en 1923 pour un petit industriel britannique (et sans doute baptisé d'un nom plus digne), était de grande valeur mais aurait été difficile à revendre, étant donné l'ampleur des travaux nécessaires à sa restauration.

Ce n'était pas une affaire facile, mais nous avons ouvert une brèche en apprenant qu'Otto Planck venait de prendre, pour la somme de trois cent mille dollars, une option de dix-huit mois sur l'achat du terrain jouxtant sa marina. Sur le papier, Planck était un homme riche, or la marina était tout juste rentable, il était endetté au maximum, et on pouvait se demander à bon droit où il comptait trouver les fonds pour se porter acquéreur de ce terrain de deux millions de dollars. Le problème était que la destruction du bien s'était produite en mer, sans aucun témoin. Sur les images de la tempête dont nous disposions, on voyait qu'elle n'avait fait qu'effleurer l'emplacement du naufrage présumé. S'il avait lui-même coulé son bateau, il l'avait sciemment piloté vers la zone la plus active de l'ouragan. J'étais sur le point de demander à notre expert en sinistres maritimes quelle était la hauteur de vague nécessaire pour faire chavirer un voilier de vingt-cinq mètres quand mon assistante, Laura, passa la tête à ma porte pour me dire qu'Eliska Sedlacek était en ligne. Je lui demandai de me la passer.

— Monsieur Young, je ne comprends pas pourquoi vous vouloir me parler.

Je mis un moment pour passer de l'ouragan de Pensacola à la mission que m'avait confiée la mère de Roger Corbett. Je dis à Eliska Sedlacek que je savais qu'elle avait fréquenté Roger Corbett au cours des derniers mois de son existence et qu'elle l'avait vu le soir de sa mort. Pouvais-je lui poser quelques questions ?

— D'accord. Je parle avec vous, si ça peut servir.

Elle suggéra que nous nous retrouvions pour boire un café dans l'après-midi. Sachant qu'elle serait plus à son aise dans un endroit un peu éloigné de son domicile, je proposai un restaurant à l'angle nord-ouest de Broadway et Bleecker. Elle pouvait facilement s'y rendre à pied. Au fil des années, le restaurant avait plusieurs fois changé de nom, mais son principal attrait était demeuré inchangé : de grandes baies vitrées par lesquelles on pouvait voir les gens passer. Le genre de bistrot où l'on vient s'asseoir devant une part de tarte et où l'on agite des pensées importantes que l'on oubliera plus tard.

— Comment vous reconnaîtrai-je ? demandai-je.

— Je porte des gants.

J'arrivai avec cinq minutes d'avance et trouvai une table. Eliska Sedlacek se présenta avec dix minutes de retard, une très grande brune, mince, dans les vingt-cinq ans, portant des lunettes de soleil, un grand manteau rouge, et… des gants. Tout chez elle était allongé : jambes, torse, bras et cou. Je lui fis un petit signe de la main, et elle m'étudia un moment avant d'approcher, peut-être rassurée par mon costume et ma cravate.

— Je suis désolée, je ne peux pas serrer la main. Je suis mannequin de détails et je dois les protéger.

Nous nous assîmes. Je commandai de la tarte et du café ; elle demanda un jus de canneberge. Je lui expliquai que la mère de Roger m'avait chargé d'enquêter sur sa mort.

— Je ne sais pas pourquoi je vous parle parce que sa mère, il l'aimait pas beaucoup.

— Et pourquoi ça ?

— Il pensait qu'elle était une menteuse.

Je me dis que j'approfondirais ce point plus tard.

— Vous l'avez fréquenté longtemps ?

— On s'est vus neuf ou dix mois.

— Pas très longtemps, alors.

Elle détourna le regard. Elle avait un visage long et osseux. Pas franchement joli, presque banal, n'étaient ses yeux, d'un bleu pâle. Elle était prudente, méfiante.

— Ç'a été relation très intense, pour moi, une des plus intenses dans ma vie.

Cet aveu m'encouragea :

— Pourquoi ?

— Parce qu'il souffrait tellement. En général vous savez, entre les hommes âgés et les femmes jeunes, il y a déséquilibre. L'homme a l'argent, le pouvoir, ou quelque chose.

Elle trempa les lèvres dans son jus de fruits.

— Mais Roger, ça ne l'intéressait pas. Il n'était pas comme ça, vous comprenez ?

Très souvent, la jeune femme se fait payer d'une façon ou d'une autre par l'homme plus âgé, officieusement, bien sûr.

— Alors, quel était votre intérêt dans cette relation ?

— C'est bonne question. Il était, comment vous dites, typique, un Américain typique. Il comprenait des tas de choses sur son pays que moi, tchèque, je ne comprends pas. C'était un homme du monde. Vous pouvez lui demander comment fonctionne fonds spéculatif, il vous expliquait. Comment fonctionne banque d'investissements ? Pourquoi le taux d'intérêt fédéral est si important ? Il connaissait toutes ces choses.

Ma traduction : elle avait reniflé le type qui a de l'argent, même s'il vivait chichement.

— Des tas de gens connaissent ces choses, objectai-je.

Elle haussa les épaules.

— Aussi son père lui manquait, il est mort il y a cinq ans, peut-être. Roger sentait, il ignorait des choses de son père, mais sa mère, elle, savait ces choses mais ne voulait pas lui dire. Il a eu de grosses disputes avec elle.

— Dans quel état d'esprit était-il le soir où il est mort ?

Elle inspira un grand coup et regarda au plafond.

— On est restés un moment dans le bar. On a dîné. Je voulais rentrer chez moi parce que je dois être à l'aéroport très tôt le lendemain matin. Mais il voulait attendre pour passer coup de téléphone.

— Pourquoi voulait-il attendre dans le bar ? Il aurait pu téléphoner n'importe où.

— Notre immeuble était pas très bien chauffé.

— Alors, il l'a passé ce coup de téléphone ? L'appel apparaîtrait sur sa facture de portable.

— Peut-être, j'imagine. Je ne sais pas. Je suis rentrée et je me suis endormie.

— Saviez-vous qui il devait appeler ?

— Non.

— À quel moment avez-vous appris qu'il avait été tué ?

— C'est le plus affreux de l'histoire. Le matin, je me lève et il n'est pas dans appartement…

— Chacun avait les clés de l'autre ?

— Oui. Nous sommes amants, nous sommes très proches. Je me lève et il n'est pas dans le lit avec moi. Je téléphone, mais ça ne répond pas, et il faut que je parte. J'ai un contrat à Londres pour des bijoux et des montres de luxe. Peut-être il est en colère contre moi, je ne sais pas, je pense je vais appeler de l'aéroport, j'essaie, mais pas de réponse, et je dois prendre l'avion de huit heures cinquante-cinq pour Londres, et bien sûr, c'est vol long-courrier, et je ne peux pas téléphoner dans l'avion. Je le fais en arrivant à Londres, mais toujours pas de réponse. Je suis dans tous mes états, mais j'ai ce long contrat, vous savez, cinq ou six jours, j'appelle encore et encore, et toujours rien, juste son annonce de messagerie, et quand je rentre j'apprends il est mort.

— Où sont passées toutes ses affaires, ses papiers, ses factures et le reste ?

— Je ne sais pas.

— Vous aviez pourtant la clé de son appartement.

— Son ex-femme est venue, elle a engagé des gens pour tout vider. Personne n'a demandé mon avis. Les livres, les papiers, le courrier, les meubles, tout. C'est le gardien qui me dit qu'elle est venue quelques jours après.

— Il l'a laissée entrer ?

— Qu'est-ce qu'il pouvait faire ? Roger était mort, quelqu'un devait se charger de ça.

— Revenons à sa vie privée.

— J'étais au courant de tout. Il me disait sa vie était un vrai gâchis. Sa femme avait vendu la maison.

— Vous l'avez rencontrée ?

— Non, mais je l'ai vue. Elle est très bronzée et blonde. Elle est venue à l'enterrement avec les deux enfants.

J'avais oublié ce détail.

— Donc vous y êtes allée, vous aussi ?

— Oui.

— Est-ce que son ex-femme savait que vous aviez été sa petite amie ?

— Peut-être. Elle me regarde une fois. J'étais assise au fond de l'église. Nous n'avons pas parlé.

— Roger n'était pas suicidaire, par hasard ? Il s'est peut-être jeté de lui-même sous ce gros camion.

— Non. Il traversait mauvaise passe, vous savez, mais je crois il était optimiste.

— Qu'est-ce qui vous fait dire ça ?

— Il avait nouveaux projets professionnels.

— Comme quoi ?

— Il me l'a pas dit.

— C'était peut-être un appel professionnel qu'il comptait passer ce soir-là ?

— Je ne sais pas.

— Combien avait-il d'argent ?

Je vis qu'elle réfléchissait sérieusement à la question. Sa réponse, quelle qu'elle soit, la trahirait d'une certaine manière.

— Pas énormément. Je veux dire, regardez un peu immeuble où il habitait.

Cela pouvait signifier deux choses : que Roger était sur la paille ou bien qu'il se planquait en attendant que l'orage passe.

— Laissez-moi vous présenter la question différemment, est-ce que c'était le genre de type à se demander d'où viendraient ses prochains cent dollars ou bien ses prochains cent mille dollars ?

— Oui, il avait de l'argent, confirma Eliska Sedlacek. J'ai vu relevé de compte une fois, il avait quarante-huit mille dollars dessus.

Ce qui pouvait passer pour une grosse somme à ses yeux. Mais pour un homme qui avait travaillé à Wall Street, qui avait autrefois possédé une maison estimée à plusieurs millions de dollars, ce n'était rien, des clopinettes. Après le divorce, il avait vraisemblablement ouvert un compte chèques personnel et avait dû déposer le gros chèque résultant de la vente de la maison et du partage des autres biens sur ce nouveau compte.

Du temps où je travaillais pour le bureau du procureur du Queens, on nous avait appris quelques questions bouche-trous quand on ne savait plus comment alimenter la conversation. J'eus recours à l'une d'elles :

— Quelle était la chose qui le préoccupait le plus ?

Eliska fit un grand geste de ses mains gantées, et je m'attendais à ce qu'elle réponde ses enfants. Mais elle ne le fit pas.

— Il voulait savoir qui était son père, quand il était jeune. Roger disait c'était comme trou noir dans la vie de son père, et qu'il n'en parlait jamais. Il disait qu'il avait besoin certains papiers mais qu'il n'arrivait pas à se les procurer.

— Des papiers personnels ?

— Je suppose. Il disait qu'il est content que son père est mort avant que toutes ces mauvaises choses lui arrivent. Mais aussi que son père lui manquait, et que quand un parent meurt et tout, vous savez, certaines choses restent sans réponse, et l'enfant ne connaît jamais la paix. (Eliska avait l'air triste.) C'est ça que je veux dire quand je dis notre relation était très intense. J'ai appris des choses sur les hommes parce que ce n'était pas jeune de vingt-cinq ans qui n'y connaît que… comment vous dites en Amérique… que balle ?

— Dalle. Qui n'y connaît que dalle.

— C'est ça. Vous comprenez ce que je veux dire sur lui ?

— Je crois, oui.

— Vous le connaissiez, n'est-ce pas ?

— On s'est peut-être croisés, mais je ne le connaissais pas.

Elle me dévisagea, les sourcils froncés.

— J'ai pourtant impression que vous le connaissez.

Ce fut un moment étrange, et si j'avais douté de la sincérité de son chagrin, ce n'était plus le cas.

— Je regrette, non.

Nous aurions pu en rester là, mais quelque chose me travaillait.

— Où est passée la clé ?

— Quelle clé ?

— La clé de son appartement.

— Je l'ai donnée au gardien.

Elle lorgna ma part de tarte, puis s'obligea à regarder ailleurs.

— Je me demandais si vous savez ce que sa femme a fait de toutes les affaires de Roger ?

— Non.

— C'est juste pour savoir, parce que j'ai peut-être laissé des affaires à moi dans son appartement.

— Comme quoi ?

— Oh, objets personnels, rien d'important.

Je laissai cette déclaration reposer. L'ex avait vidé l'appartement assez rapidement ; était-elle tombée sur quoi que ce soit suggérant une présence féminine ? Peut-être, et après ? Je pensai à la facture de portable de Roger Corbett.

— Et le courrier de Roger ? demandai-je. Qu'est-ce qu'on en a fait ?

Jusque-là, Eliska m'avait fait l'effet d'une jeune femme posée et raffinée, du moins en surface, qui partageait son temps entre New York et l'Europe, mais ma question entama sa contenance.

— Je ne connais pas réponse, dit-elle précipitamment. Peut-être vous demandez au gardien.

— Comment s'appelle-t-il ? demandai-je, pour la mettre à l'épreuve.

— Je… Je ne le vois pas très souvent, je ne suis pas sûre.

— Il a quelle tête ?

— Je me rappelle pas très bien.

— Mais vous lui avez donné la clé, insistai-je.

— Non… enfin, oui, oui, bien sûr.

— Est-ce que l'appartement a été reloué depuis ?

Dans mes jeunes années, quand Patton, Corbett & Strode m'envoyait recueillir des dépositions – plaignants, témoins, représentants des autorités locales –, j'avais vite pris conscience, alors que je ne m'en étais jamais vraiment rendu compte auparavant, que les gens mentaient. Ça oui, ils mentent, ils vous servent des bobards le sourire aux lèvres, ils usent de faux-fuyants en écrasant une larme, ils affabulent en vous regardant droit dans les yeux, se parjurent avec une conviction monotone et dissimulent avec une colère indignée. J'avais poussé Eliska Sedlacek au sommet d'une échelle de questions, et à présent elle mentait presque chaque fois qu'elle ouvrait la bouche. Au lieu de répondre à ma question – l'appartement de Roger Corbett était-il loué ? –, elle semblait craindre que la somme de ses mensonges n'ait atteint une sorte de masse critique, au point qu'ils pourraient entrer en conflit les uns avec les autres et, en tout cas, que leur découverte était de plus en plus probable et que la situation était devenue insupportable. Elle se leva brusquement et dit :

— Au revoir, je dois partir. Je ne peux plus rien faire pour vous.

Elle passa la porte et descendit Broadway à grandes enjambées, vers le sud, ses cheveux flottant derrière elle, impatiente, manifestement, de prendre le large. Je la regardai s'éloigner. Puis je me rendis compte qu'il me restait une bouchée de tarte. La question, supposai-je, était de savoir pourquoi elle avait accepté ce rendez-vous. Elle avait subi mon interrogatoire, inventant les réponses en cas de besoin. Qu'avait-elle à gagner là-dedans ? Les gens qui veulent quelque chose finissent en général par le demander. Avait-elle demandé quelque chose ? Oui. Qu'avait-elle dit ? *Je me demandais si vous savez ce que sa femme a fait de toutes les affaires de Roger ?* Pourquoi était-ce si important pour elle ?

4

Chevaux à bascule et bottes de cow-boy

Deux semaines s'écoulèrent. Je me repassai la mort de Roger sur le DVD un soir sur deux jusqu'à ce que Carol me dise que cela la dérangeait.

Puis Valerie Corbett, l'ex-femme toujours aussi bien balancée de Roger, débarqua soudain en ville, ce dont je fus informé par son ex-belle-mère, Mme Corbett, qui avait laissé un message à mon bureau. Je la rappelai et m'arrangeai pour rencontrer Valerie le lundi suivant. Carol estima qu'il s'agissait là d'un développement intéressant, qui ne devait rien au hasard.

— Nous avons un ex-mari mort, sa mère malade, sa petite amie tchèque, et maintenant son ex-femme, résuma-t-elle tandis que nous nous apprêtions tous les deux à partir pour le travail.

— Les femmes font une fixation sur lui, dis-je.

— Ça, c'est une analyse typiquement masculine, rétorqua Carol. Je crois plutôt qu'elles sont obsédées les unes par les autres, en fait.

— C'est quoi un homme typique, à propos ? demandai-je. Tu peux me le décrire ?

— Oui. Il est insignifiant.

Elle termina son café.

— N'oublie pas que la pauvre femme doit toujours être en état de choc.

Le soleil était radieux, et je rencontrai Valerie Corbett à l'heure du déjeuner à l'entrée de Central Park, du côté de Columbus Circle. Elle ne semblait pas en état de choc. Absolument pas. Elle s'avança vers moi d'une démarche sautillante, la quarantaine bronzée et en pleine forme physique. Avec ces bras musclés que les femmes de son âge et de son statut social sont si fières de posséder. Et elle tenait manifestement à ce que vous la regardiez, que vous mesuriez les efforts qu'elle avait déployés pour que tout reste ferme, saillant et tendu. Ce que je fis, tout en me rappelant la photo du chirurgien grisonnant de San Diego qui lui enlaçait la taille.

— Monsieur Young ?

Nous nous assîmes sur un banc à l'intérieur du parc.

— Comme vous le savez, Diana Corbett m'a chargé d'enquêter sur les circonstances entourant l'accident dont a été victime votre ex-mari.

Son hochement de tête me laissa entendre que son attitude était régie autant par le chagrin que par la détermination.

— J'essaie simplement de rester positive et de veiller sur mes enfants, dit-elle. Alors, si cela peut aider Diana, tant mieux.

— Il ne fait aucun doute qu'il s'agissait d'un accident, mais Mme Corbett semble fermement décidée à essayer de comprendre ce qui le préoccupait avant qu'il meure.

— Très bien. Franchement, je tiens à vous remercier d'avoir accepté de lui faire ce plaisir.

Sa voix gardait encore la trace d'une enfance passée en Géorgie.

— J'aurais deux ou trois questions à vous poser.

— Je vous écoute.

— Je m'efforce de me faire une idée sur ce qui est arrivé à votre… aux affaires de Roger après sa mort.

Je voyais bien qu'elle s'attendait à cette question.

— Eh bien, nous nous sommes débarrassés de beaucoup de choses pendant le divorce. Tous les objets de valeur sont partis dans le camion des déménageurs. Roger voulait qu'ils me reviennent. Il devait se dire que si toutes nos affaires restaient groupées, il y avait peut-être une chance pour nous deux.

— J'en déduis que c'est vous qui avez demandé le divorce ?

Elle confirma d'un petit hochement de tête malheureux.

— Enfin bref, il s'est installé dans ce minuscule appartement à Little Italy. Je crois que de vivre dans un endroit aussi minable n'était pas pour lui déplaire, vous savez ? Je n'y suis allée qu'une fois, après sa mort.

— Vous avez vidé son appartement ?

— J'ai payé des déménageurs pour emballer ses affaires et les mettre au garde-meuble.

— Vous avez fait du tri ?

— Pas vraiment. J'ai fait le tour de l'appartement, jeté la nourriture du frigo. C'était tout petit. Ça m'a fait de la peine de voir ça. Les vêtements avaient son odeur, ce qui…

Elle n'alla pas au bout de sa pensée.

— Je comprends.

J'avais vidé l'appartement de ma propre mère il y avait des années de cela et je me rappelais le profond malaise que j'avais éprouvé en sentant son odeur.

— C'est le gardien qui m'a laissée entrer. Je lui ai dit que j'étais l'ex-femme de Roger et que je m'occuperais de tout. J'ai dû lui donner quelque chose pour pouvoir accéder à l'appartement. Mais je n'avais pas envie de faire des histoires. Roger ne possédait pas grand-chose, peut-être une trentaine de cartons en tout. Vêtements, papiers, du bric-à-brac surtout.

— Vous avez fait ça longtemps après sa mort ?

— Quelques jours après. J'étais en état de choc, mais il fallait que je me débarrasse de cette tâche. J'étais en train d'organiser les obsèques. J'étais en pilote automatique. Il a fallu appeler tous ses vieux amis et collègues. Honnêtement, j'étais comme hébétée. Enfin bref, j'ai dû rester à peine vingt minutes dans l'appartement.

— Et son courrier ?

Elle soupira.

— Nous avons jeté tout ce qui était là dans un carton, avec le reste. Il ne recevait pas beaucoup de courrier, quelques factures. Tous les papiers importants, comme les impôts, ont été envoyés à son avocat de toute façon.

— Si je comprends bien, vous avez vidé l'appartement sans vraiment trier le…

— C'était au-dessus de mes forces. Vous savez, j'ai pleuré tout le temps que je suis restée là-bas. Les déménageurs se sont occupés de tout, ils ont fait les cartons et les ont descendus jusqu'au camion.

— Et qu'avez-vous fait des clés du garde-meuble ?

— Je les ai laissées à sa mère. Il y en avait trois, une carte magnétique et deux clés de cadenas. C'est le système qu'ils utilisent. Vous avez besoin de la carte magnétique pour monter par l'ascenseur jusqu'à l'étage désiré. J'y ai passé peut-être dix minutes pour m'assurer que tous les cartons avaient bien été entreposés dans la petite pièce et signer les papiers. Je suppose que tout ce capharnaüm revient à Diana, techniquement, puisque mon divorce d'avec Roger avait déjà été prononcé. Il n'y a rien de valeur là-dedans, monsieur Young. Je ne veux rien récupérer.

Contrairement à l'ex-petite amie tchèque de son mari, pensai-je, mais je passai cette information sous silence.

— Je suppose que l'inventaire et la répartition rigoureuse des biens du couple avaient été effectués peu de temps auparavant, au moment du prononcé du divorce ?

— On peut le dire comme ça. Il ne lui restait plus beaucoup d'argent après le divorce, vous savez.

— Avez-vous dit à Diana Corbett où se trouvait le garde-meuble ?

— Elle a tous les documents, le jeu de clés et la carte magnétique. Ou peut-être vous les a-t-elle confiés ? Elle a eu tout un tas de détails à gérer. Ç'a été un moment difficile pour elle. Ça l'est toujours, bien sûr. J'ai payé un an d'avance avec ma carte de crédit, pour que personne n'ait à se soucier de cela dans l'immédiat. Si ces vieilleries restent là un an parce que personne ne veut s'en occuper, je n'y verrai aucun inconvénient. Si Diana a envie de tout jeter, ça m'ira aussi. J'ai gardé toutes les photos et les vidéos de Roger et moi quand nous étions plus jeunes. Ça, j'y tiens.

— Quelle sorte de relation entretenez-vous avec Diana Corbett, si je peux me permettre ?

— Au fond ? Triste.

— C'est-à-dire ?

Valerie ouvrit les mains, comme si la réponse allait de soi.

— Eh bien, vous savez, c'est la grand-mère de mes enfants. Elle est très malade. Mes enfants viennent de perdre leur père et ils vont peut-être perdre leur grand-mère.

D'un coup, je me sentis minable de lui faire subir cet interrogatoire.

— Pourquoi faites-vous tout cela ? demanda-t-elle, devinant sans doute mon manque de conviction.

— C'est M. Corbett qui m'a mis le pied à l'étrier au cabinet.

— Je vois.

Elle m'étudia attentivement. Et je lui rendis la pareille, remarquant combien le blanc de ses yeux était immaculé, souvent le signe d'une excellente santé. Nous continuâmes à nous dévisager ainsi, dans une intimité un peu troublante, jusqu'à ce qu'elle finisse par dire :

— Le père de Roger était un sacré personnage.

— En effet.

— Vous aviez rencontré Roger ?

— Non. Pas que je m'en souvienne.

Valerie sourit, gênée.

— J'avais comme l'impression que vous le connaissiez un peu. Même s'il ne m'a jamais parlé de vous.

Eliska Sedlacek m'avait fait à peu près la même remarque.

— Non, finis-je par répondre. Donc votre ex-mari était sorti tard le soir, attendait de passer un coup de téléphone. Vous avez une explication ?

Valerie Corbett secoua la tête.

— Je ne sais pas… Roger essayait de savoir qui il était. Il avait perdu le cap. Il était complètement à la dérive. Il n'avait plus confiance en lui. Nous avons vécu une période terrible.

— J'ai constaté qu'il avait changé de travail à plusieurs reprises.

— Oui, au début il pensait avoir tiré le gros lot. C'est ce que tout le monde croyait. Ils voulaient tous faire fortune, et je crois simplement que les autres l'ont évincé. Ensuite, il s'est retrouvé en situation de chercher un travail, n'importe lequel, et les choses sont allées de mal en pis. Je lui disais : « Pourquoi est-ce que tu ne reprends pas ton premier travail ? » mais il me répondait qu'il était trop vieux maintenant, qu'il y avait des tas de jeunes diplômés sur le marché et qu'ils étaient payés deux fois moins que lui.

Je la remerciai encore une fois.

— Attendez, laissez-moi vous poser une question, dit Valerie Corbett, puisque vous m'en avez tant posé.

— D'accord.

— Est-ce que Roger avait une petite amie ?

— Je crois que oui.

— Vous l'avez rencontrée ?

— Oui. Elle est tchèque.

— Très bien. (Elle haussa les épaules avec tristesse.) Peut-être qu'elle le rendait heureux.

Quelques jours passèrent avant que je puisse me rendre au garde-meuble ; je dus demander à Diana Corbett de faire inscrire mon nom sur la liste des personnes autorisées, sans compter diverses distractions : Carol me disant qu'il fallait organiser nos vacances d'été ; les Yankees qui jouaient petit bras ; des clients qui prétendaient que leurs demandes d'indemnisation étaient fondées ; Carol me demandant quand nous irions voir un match ; Carol me demandant mon avis sur l'excursion en montagne que notre fille projetait de faire avec l'équipe de volley de la fac ; les clients qui prétendaient que nous n'avions pas le droit de leur poser certaines questions ; les Yankees qui montraient enfin quelques signes de vie.

Finalement, je pris le métro jusqu'au centre-ville et marchai jusqu'à la 10e Rue. En fait de garde-meuble, je m'attendais à tomber sur une usine désaffectée repeinte à la hâte, mais l'endroit, avec son odeur de neuf et ses surfaces polies, tenait à la fois de l'hôtel récent et de la prison de sécurité minimale. Je m'étais muni des documents et des trois clés, et l'employé ne fit aucune difficulté. La carte magnétique de l'ascenseur me laissa au troisième étage, où je suivis les panneaux jusqu'au local de stockage que Valerie Corbett avait loué.

Dans le couloir, je croisai des gens venus déposer ou retirer des objets dans leur box : livres non lus, chaussures usées et racornies, manteaux d'hiver et caisses de transport pour chat, bicyclettes problématiques. Je passai devant une pièce remplie de meubles-classeurs ; une autre pleine de statues et de masques africains, et une autre encore où s'entassaient des centaines de toiles peintes. La dernière que je vis était bordée de mannequins de tailleur en uniforme militaire.

J'ouvris les cadenas. Derrière la porte on découvrait un espace bien éclairé d'environ quatre mètres sur trois, et de deux mètres cinquante de hauteur sous plafond. Les dernières possessions de Roger Corbett formaient un tas compact au centre de la pièce ; manifestement, Valerie avait vu trop grand. Cela me permettrait cependant de circuler autour des cartons, ce qui me faciliterait la tâche.

J'exhumai une casquette des Yankees de la pile. Un fan, comme moi ! Je m'en coiffai et entrepris de fourrager dans les affaires de Roger. Ce que je recherchais, c'étaient des factures de portable récentes qui me diraient qui il avait appelé dans la période qui avait précédé sa mort, mais il était impossible de ne pas examiner ce qu'il laissait derrière lui avec un œil de voyeur. Je repoussai ses meubles sur le côté ; c'était de la camelote, tachée et cabossée, du mobilier de deuxième, voire de troisième main. À part cela, l'objet le plus volumineux était son sac de golf. Il s'agissait d'une série très chère, gravée à ses initiales, qui symbolisait, évidemment, une époque plus florissante. Je sortis le driver et frappai un swing au ralenti. Il me convenait parfaitement. Roger et moi avions apparemment la même taille. Le putter aussi semblait fait pour moi. Je fis tomber les autres clubs pour voir si le sac contenait autre chose, ce qui était effectivement le cas : plusieurs DVD pornographiques (mettant tous en scène une Asiatique blonde affublée d'un surnom islamique), une télécommande de porte de garage, et une bouteille de schnaps à la menthe. Débris d'un mariage malheureux ? J'en étais réduit aux spéculations.

Ensuite je divisai le reste en quatre catégories : papiers ; livres ; vêtements et effets personnels ; et, pour finir, ustensiles de cuisine et bazar divers. Après quoi je retirai quelques objets que je supposai appartenir à Eliska Sedlacek : un roman au format de poche écrit en allemand, deux soutiens-gorge en soie plutôt chic (en 90B), une brosse à cheveux à poils longs, ainsi qu'un grand sac plastique transparent contenant une boîte de gants en latex et un flacon de crème d'une marque de luxe française. Devais-je les prendre ? L'idée de débarquer à la maison avec ces objets ne me disait rien. J'entendais déjà la réflexion de ma femme : « Tu es vraiment obligé de rapporter les soutiens-gorge d'une autre femme chez nous ? »

Elle n'aurait pas eu tort. Je les mis donc de côté.

Les papiers de Roger Corbett revêtaient un intérêt capital, évidemment, et je m'assis par terre pour leur accorder toute mon attention. Pas de factures de portable. Je trouvai néanmoins un agenda que je décidai d'emporter pour l'examiner plus tard, divers courriers de son avocat détaillant les conditions du divorce (le ton de ces lettres laissait entendre que la séparation s'était faite plus ou moins à l'amiable, sans que les avocats de Valerie Corbett aient à faire le forcing), ainsi que des copies des bulletins scolaires de ses enfants datés du mois de janvier. Un fils et une fille. Je remarquai qu'ils étaient tous deux bons élèves, accumulant les A et les B – peut-être faisaient-ils de leur mieux pour s'adapter à leur nouvel environnement. Le dernier document était le reçu d'un achat effectué sur eBay, un exemplaire des Pages blanches de Manhattan de 1975, scotché sur le volumineux annuaire. La transaction s'était faite une semaine seulement avant sa mort. Et il avait payé le prix fort. Pourquoi avait-il acquis cet annuaire ? Peut-être pourrais-je poser la question à Eliska Sedlacek.

Les cartons ne paraissaient pas particulièrement intéressants, mais je farfouillai néanmoins dedans. Ils contenaient surtout des livres, des revues et des chaussures, dont une paire de chaussures de randonnée presque neuves que je trouvai tout à fait à mon goût. Je portais des tennis usées et ne pus résister à l'envie de les retirer pour glisser mes pieds dans celles de Roger Corbett.

Elles étaient plutôt confortables.

Je nouai les lacets et poursuivis mon exploration. Le reste de ce que contenait le box paraissait sans intérêt, et je ne m'y attardai pas, à l'exception de cinq lourds cartons contenant des décorations de Noël argentées : trains, chevaux à bascule, bottes de cow-boy. Elles étaient mélangées à des centaines de petits soldats qui mesuraient environ huit centimètres de haut. Le métal avait l'air de mauvaise qualité. Il y en avait une telle quantité que je me demandai si Roger ne les avait pas importés dans l'intention de les revendre. Je retournai un des chevaux à bascule : il portait l'inscription MADE IN CHINA sur le ventre. J'avais lu quelque part que la Chine dominait désormais l'industrie des décorations de Noël, que des villes entières se consacraient à leur fabrication. Je glissai une botte de cow-boy et un cheval à bascule dans ma poche pour les montrer à ma femme. Puis je quittai les lieux, avec la casquette d'un mort sur la tête et ses chaussures aux pieds.

Dans le taxi qui me ramenait chez moi, j'appelai Valerie Corbett.

— Il y a une dernière question que j'ai oublié de vous poser l'autre jour. Quand vous avez vidé l'appartement de Roger, est-ce qu'il y avait des factures de portable dans son courrier ?

— Je ne m'en souviens pas. J'ai tout ramassé en vitesse.

— Vous avez son ancien numéro de portable ?

— Oui, bien sûr. Une minute…

Elle posa le combiné et revint peu après avec le numéro.

Je le notai, la remerciai et raccrochai. Puis je composai le numéro, m'attendant à ce qu'il soit hors service.

Pourtant, au bout de cinq sonneries, la messagerie se mit en route : « Ici Roger Corbett. Je vous remercie de votre appel mais ne suis pas en mesure d'y répondre pour le moment. J'ai hâte de vous parler, alors laissez-moi vos coordonnées. Les proverbes et dictons sont aussi les bienvenus. »

La voix était chaleureuse. Elle avait même quelque chose de familier. Mais ce qui était vraiment curieux, c'était que son téléphone fonctionne encore, des mois après sa mort. Soit l'opérateur avait fait une erreur, soit quelqu'un payait la facture. Pourquoi ?

— Il y en avait des cartons entiers.

Je tendis à ma femme la botte de cow-boy et le cheval en métal.

— Des cartons ?

— Cinq, en tout cas.

Carol examina la tête du cheval à bascule.

— Plutôt laid.

— Pour quelle raison un type qui a fait un MBA à Dartmouth garde des cartons de décorations de Noël mochasses dans son appartement ? Bien sûr, il y avait des tas d'autres trucs.

Elle pointa mes pieds du doigt.

— Ces chaussures, par exemple ?

— Elles sont bien, tu ne trouves pas ?

— Tu as volé les chaussures d'un mort ? Enfin, George !

— Ce sont des superchaussures. Elles me vont parfaitement.

— Et tu as laissé ta vieille paire là-bas ?

— Ouais.

Carol secoua la tête d'un air dégoûté. J'avais bien fait de ne pas rapporter les ravissants soutiens-gorge en soie d'Eliska Sedlacek.

— Sérieusement, toute cette histoire commence à te perturber, dit-elle.

— C'est bizarre, je te l'accorde.

Carol m'étudia un moment, puis son expression s'adoucit.

— Tu as mis le nez dans ses papiers ? demanda-t-elle.

— Oui. Il n'y avait pas grand-chose.

— Tu sais, j'ai regardé le DVD où Roger se fait percuter par le camion devant le Blue Curtain Lounge.

— Plutôt violent.

— Il y a un truc qui me chiffonne.

— Quoi ?

— S'il habitait dans Broome Street, c'est par là-bas qu'il aurait dû se diriger en quittant le bar, non ?

— D'après sa petite amie, oui. Broome et Orchard Streets.

— Alors pourquoi est-ce qu'il a tourné à gauche, en remontant Elizabeth Street vers le nord ? C'est la mauvaise direction. Broome Street, c'est au sud.

Je n'avais pas pensé à cela.

— Je ne vois qu'une seule explication, poursuivit Carol. Il se dirigeait vers les quartiers nord. C'est l'itinéraire logique pour qui veut prendre un taxi sur Houston Street ou prendre le métro jusqu'à Grand Central.

— Pourquoi Roger serait-il allé à Grand Central ?

— Il n'y allait pas, justement. Mais l'espace d'un instant, c'est la direction qu'il a prise machinalement.

Cela fit tilt dans mon esprit.

— Parce que c'est là qu'il avait l'habitude de prendre le train pour rentrer chez lui.

— Oui, je crois qu'il a commencé à marcher dans cette direction, et puis il s'est rappelé qu'il ne vivait plus là-bas.

— Qu'il habitait dans le centre.

— Qu'il habitait dans le centre dans son appartement minable, qu'il était divorcé, qu'il était loin de sa femme et de ses enfants, la totale. Il a eu une absence, le pauvre, et puis ça lui est revenu.

— Alors il est retourné sur ses pas, et là…

— Oui, acquiesça Carol, qui, les yeux dans le vague, pensait à Roger. C'est juste un détail, mais il me chiffonnait.

De temps à autre, je me rappelle que ma femme est plus intelligente que moi. Je venais d'en faire l'expérience.

5

Le dentiste des stars

L'agenda de Roger Corbett pour l'année en cours débutait dans les dernières semaines de la précédente. Il avait encadré quelques jours juste après Noël avec la mention « Enfants chez maman », suivie d'« Enfants La Guardia ». Je remarquai plusieurs rendez-vous chez des médecins, chacun d'eux précédé d'un « À rappeler à maman ». Il s'agissait donc des médecins de sa mère aux cabinets desquels il se rendait consciencieusement avec elle. Je me rappelai être allé à ces consultations avec ma propre mère des années auparavant ; pas franchement drôle, l'épilogue médical de la relation parents-enfant. Le 31 décembre, une table pour deux avait été réservée au Jean Georges, mais rien de plus. Il n'avait pas eu grand-chose à fêter en ce début d'année.

Roger se servait également de la marge des pages de son agenda pour faire ses comptes, et je constatai qu'il avait l'habitude de faire des retraits hebdomadaires de mille dollars sur son compte en banque. Une fois le loyer, la nourriture, le téléphone et les autres frais payés, on ne pouvait pas dire qu'il vivait comme un nabab ; surtout s'il sortait un peu sa petite amie tchèque, qui me semblait justement être le genre de jeune femme pour laquelle un homme plus âgé fait des frais. Deux dates importantes étaient soulignées, le 28 janvier et le 11 mars, pour des entretiens professionnels, le premier dans une banque d'investissements au Rockefeller Center, non loin de mon lieu de travail, et l'autre au Harvard Club. Roger avait manifestement tenté de se remettre en selle, ce qui n'était pas évident à faire à son âge et dans le présent état de délabrement de l'économie américaine. Bien sûr, l'entretien du 11 mars n'avait jamais eu lieu, car, à cette date, Roger Corbett était mort et enterré.

Une note m'intéressa tout particulièrement : elle revenait tous les vendredis à quatorze heures, et indiquait la même adresse : 150 Lex. Où pouvait bien se rendre un Roger Corbett sans emploi et dans une mauvaise passe tous les vendredis ? Yoga ? Psy ? Séances d'acupuncture ? Cours de cuisine ? C'était trop intéressant pour être ignoré.

Le vendredi suivant, je ménageai un grand trou dans mon emploi du temps et sautai dans un taxi à treize heures trente. Il me déposa au croisement de la 30e et de Lexington. Au numéro 150, du côté ouest de l'avenue, se trouvait une boutique appelée The Old Print Shop. Sitôt la porte poussée, je me retrouvai projeté, pour mon plus grand bonheur, en plein XIXe siècle : une pièce profonde et tranquille dont les murs en plâtre étaient ornés de gravures et de cartes anciennes, tandis que d'autres cartes étaient présentées dans de belles et vieilles vitrines en bois. Une demi-douzaine de clients allaient et venaient avec déférence, examinant les gravures non encadrées ou attendant qu'un membre du personnel leur ouvre un tiroir. L'air lui-même sentait le vieux, ou peut-être était-ce simplement la poussière des cartes d'époque qui se répandait dans la pièce.

— Excusez-moi, demandai-je à l'homme derrière le comptoir, est-ce que quelqu'un ici se souviendrait d'un certain Roger Corbett ?

— Ce nom ne me dit rien. Un collectionneur ?

— Non. Il avait l'habitude de venir ici toutes les semaines à cette heure environ.

— Rappelez-moi son nom.

— Roger Corbett.

— Un Corbett a fait des cartes de Londres tout à fait remarquables à la fin du XVIIIe, fit-il valoir d'un air quelque peu distrait. Mais ce n'est pas ce que…

— Je connais ce nom, fit une voix derrière moi. Je connais Roger Corbett.

— Ah, docteur Greenfeld, dit le vendeur.

En me retournant, j'aperçus un petit homme d'environ soixante-dix ans appuyé sur une canne. Il avait perdu son bras gauche, et sa manche vide était épinglée à sa chemise.

— Il vient parfois me retrouver ici à cette heure.

Je me présentai.

— Je crains d'avoir de mauvaises nouvelles à vous annoncer.

Nouvelles que je lui communiquai, de manière succincte. Il ne dit rien, mais cligna plusieurs fois les yeux. Puis ceux-ci firent lentement mouvement vers le vendeur.

— Vous avez dit que vous aviez la Dripps de 1848 ?

— Bien sûr.

Je suivis le Dr Greenfeld au fond de la boutique, où le vendeur ouvrit un large tiroir et en sortit une grande carte richement illustrée de Lower Manhattan, datée de 1848. Elle montrait, semblait-il, l'emplacement de pratiquement chaque église, temple, poste de police, caserne de pompiers, ligne de ferry à destination de Brooklyn et du New Jersey, ainsi que les longs docks en bois s'avançant sur l'Hudson et l'East River. Les limites de la ville atteignaient à peine la hauteur de la 40e Rue. C'était un objet de toute beauté, à la fois éminemment fonctionnel par la richesse de ses détails et néanmoins rendu mystérieux par le passage du temps, en ce qu'il rendait compte d'une ville depuis longtemps disparue.

— Très jolie, commenta Greenfeld.

Il examina le prix.

— Chère, mais oui, très jolie.

— Elle est en bon état, le papier n'est presque pas piqué.

— Je ne peux certainement pas vous contredire.

Le vendeur attendit, son silence évoquant soudain un chronomètre qu'on venait de déclencher. Greenfeld me tendit sa canne comme si j'étais son fidèle valet de chambre, sortit une loupe de sa poche, et se pencha sur la carte. Il prêta une attention particulière aux traces de pliure, me sembla-t-il.

— Une petite réparation, releva-t-il. Bien faite.

— En effet, confirma le vendeur.

Le vieil homme se redressa.

— Vous voudrez bien me l'encadrer comme la Colton de 1855, même marie-louise, avec le verre anti-UV.

— Très bien.

Il reprit sa canne.

— Je vous remercie de me laisser assouvir ma passion hebdomadaire. Je suis un fanatique des cartes, et, après la mort de ma femme, cette passion a pris des proportions inquiétantes. À présent, je me contrains à ne pas passer plus d'une heure par semaine dans cet établissement. Vous ignorez où vous vous trouvez, n'est-ce pas ?

— À l'Old Print Shop ?

— Il s'agit de la plus belle boutique de cartes et de gravures anciennes de l'hémisphère occidental, mon ami. La Mecque des collectionneurs de cartes. Oh, il y a d'autres marchands tout à fait respectables à Manhattan – Richard Arkway, Martayan Lan, Donald Heald, extraordinaires, tous autant qu'ils sont –, mais il se trouve simplement que j'ai une préférence pour cet endroit. Pour se sentir jeune, que peut faire un vieil homme sinon se retrouver au milieu d'objets bien plus vieux que lui ?

Je n'avais aucun argument à opposer à cela.

— Parlez-moi de Roger à présent.

Je lui expliquai mon rôle et comment j'étais tombé sur les entrées dans l'agenda.

Greenfeld enregistra l'information en clignant constamment les yeux.

— On se retrouvait et on bavardait. De manière informelle, mais avec une grande implication. C'est que je connaissais assez bien son père, voyez-vous.

— Je crois savoir que Roger poursuivait une quête personnelle pour mieux comprendre qui il était.

— Vous êtes un bon détective, commenta Greenfeld d'un hochement de tête.

— Je suis avocat de métier, en fait.

— Ah bon, où ça ?

Je lui tins la porte tandis que nous sortions de la boutique.

— Patton, Corbett & Strode.

— Ah, fit Greenfeld, d'un ton encore plus approbateur. Vous avez donc peut-être vous-même connu le vieux Wilson Corbett ?

— En effet, mais je n'étais qu'un tout jeune avocat à l'époque.

Greenfeld me lança un regard en coin.

— Quelle énergie, cet homme !

Nous marchions sans nous presser sous un ciel plombé, la canne ajoutant un temps au rythme de nos pas.

— La théorie psychanalytique jungienne, vous connaissez ?

— Pas dans le détail.

— Eh bien, disons simplement que Wilson était toujours lui-même et jamais tout à fait la personne qu'il prétendait être.

— Comment le savez-vous ?

— Je le sais très bien. Nous avons partagé un appartement quand il était en fac de droit jusqu'au jour de son mariage. Je fréquentais quelques jolies filles à cette époque. Mais Wilson, c'était un vrai prestidigitateur. Les filles apparaissaient et disparaissaient constamment. Même après son mariage avec Diana. Jusqu'à la quarantaine. C'était pathologique. Compulsif. Mais il l'a payé chèrement, dans tous les sens du terme.

— Comment ça ?

— Je ne tiens pas être trop précis, par égard pour sa mémoire.

— Bien sûr, acquiesçai-je, déçu.

— Ce que je peux dire, c'est qu'il a brisé des cœurs, qu'il a brisé le sien, qu'il a engrossé quelques filles, a dû payer pour les tirer d'affaire, ce qui était complètement illégal et parfois dangereux à l'époque, les gens oublient, et je crois qu'il s'est fait surtout beaucoup de mal à lui-même. Que sa jeunesse dissolue l'a hanté jusqu'à un âge avancé, en fait.

— Quelle était votre spécialité médicale ?

Greenfeld grommela.

— Je me destinais à la psychanalyse, mais j'ai fini dentiste pour les stars du cinéma et de la télévision. Oui, j'ai eu un succès fou jusqu'en 1980 environ. Je les traitais tous avant qu'ils passent chez Johnny Carson, Merv Griffin, Mike Douglas. Réparations, blanchiment, couronnes, jaquettes et j'en passe. Sauf les dévitalisations et les caries. Je les ai tous détartrés, Sinatra, Mailer, Jackie Gleason, Lucille Ball qui était de passage. J'ai essayé avec Liberace, mais il s'est vexé. J'ai eu plusieurs fois affaire à Karen Carpenter, John Denver, toute une bande, tous morts aujourd'hui. Des gens magnifiques. Je les aimais. J'aurais bien continué, mais j'ai perdu mon bras.

— Dans quelles circonstances, si je peux me permettre ?

— Une porte de métro. C'est arrivé par ma faute. J'ai été sauvé par une touriste japonaise qui m'a fait un garrot avec sa robe. Une femme merveilleuse. Elle ne voulait s'attribuer aucun mérite. J'ai dû appeler le consulat pour retrouver sa trace et la remercier. Mais après ça, j'ai fait une dépression qui a duré plusieurs années. Parce que je ne pouvais plus exercer, bien sûr. Il n'y a pas beaucoup de travail pour les dentistes manchots. Aujourd'hui, je me rends compte que c'est la meilleure chose qui me soit jamais arrivée. Ça m'a obligé à prendre ma retraite dix ans plus tôt que prévu. Maintenant je suis un vieil homme qui collectionne les cartes.

Vieux et solitaire, devinai-je.

— Alors qu'avez-vous dit à Roger ?

— Je lui ai dit : « Écoute, si tu veux vraiment découvrir ce que tu cherches, il faut que tu parles à d'autres gens qui l'ont connu. » Comme Charles Weaver, le vieux partenaire de poker de son père. C'était lui le gardien des secrets, pas moi. Il habite dans le Queens et se prend pour le Donald Trump de Floral Park. Roger est passé le voir. (Greenfeld s'interrompit.) Le pauvre était largué, à courir après des fantômes.

— Son ex-femme semble s'être recasée sans trop de difficulté, dis-je.

— Oh, je suis au courant. En surface, tout a l'air d'aller bien pour elle, mais quand on gratte un peu, c'est pas la joie. Elle s'est dégoté un toubib qui remplit le frigo.

— Je croyais qu'elle avait plein d'argent, la maison a été vendue pour…

— Roger m'a tout raconté, coupa Greenfeld en secouant la tête. Il a englouti des millions dans un projet ridicule sur Internet, et ensuite d'autres millions dans un hedge fund. Ou bien l'inverse. Tout a été emporté, son mariage, sa famille.

Il me regarda, baissa d'un ton.

— Et maintenant l'homme lui-même.

Dans le taxi qui me ramenait à la maison, je regardais défiler les immeubles. Il s'était mis à pleuvoir, et le flou mouillé des fenêtres me rendait mélancolique. Après avoir vécu à New York un certain temps, disons vingt ans, vous commencez par entrevoir la lutte sans fin qui se joue entre la ville qui a été et la ville en devenir. L'obsession de Greenfeld pour les cartes tenait peut-être à cela. Vous passez devant un endroit, et ce qui s'y trouvait n'est plus. Ça vous donne un coup de vieux. Les bâtiments changent, prennent de la hauteur, ou alors ils sont réhabilités, et c'est le quartier qui se métamorphose. Vous vous rappelez l'Avenue A et B ? Éventrée, réduite en cendres. Les squatters à dreadlocks qui se shootaient dans Tompkins Square Park ? C'est fini tout ça, et il faut sans doute s'en réjouir. Aujourd'hui, ce sont des appartements à un million de dollars que personne ne peut s'offrir avant quarante ans. Vous vous rappelez le Meatpacking District ? Hell's Kitchen ? Le World Trade Center ? Bien sûr. Et le Times Square des années 70 ? Ils me manquent tous, je l'avoue. Mon point de vue est néanmoins limité. Je suis trop jeune. Ma mère se souvenait de la démolition de Pennsylvania Station, qui se dressait à l'emplacement actuel du Madison Square Garden. Elle lisait des choses sur New York, étudiait son passé. Canal Street était un canal. Bryant Park était un réservoir. Battery Park avait été baptisé ainsi à cause des pièces d'artillerie qui y avaient été installées pour défendre le port. Coney Island était autrefois une vraie île. La ville évolue en permanence, et je trouve cela à la fois triste et déconcertant.

Ma mère, je m'en souviens, était pleinement consciente de cette réalité. Elle n'était pas new-yorkaise de naissance, mais croyait cependant que sa vie avait véritablement commencé en 1962, l'année de son arrivée en ville. Elle était née et avait grandi à Columbus, dans l'Ohio, étudié trois ans à l'université du Wisconsin, avait fait un mariage malheureux à l'âge de vingt ans, s'était installée à Milwaukee où elle avait travaillé comme secrétaire, et, après ma naissance, avait divorcé à vingt-deux ans. Je n'ai jamais connu mon géniteur. Je n'en ai pas eu l'occasion. Il avait quitté ma mère et, n'ayant rien de mieux à faire, s'était engagé dans l'armée et s'était retrouvé au Vietnam, où il avait été tué dans un accident de chariot élévateur. Sa famille en voulut amèrement à ma mère ; elle lui reprochait l'engagement et donc la mort de leur fils, et avait progressivement coupé les ponts. Je ne les ai jamais connus.

En attendant, ma mère voulait refaire sa vie ; elle avait déménagé à New York et, presque immédiatement, avait fait la connaissance de Peter Young, un petit bureaucrate des Nations unies de dix ans son aîné, que l'existence d'un enfant de deux ans ne dérangeait pas. Il épousa ma mère, m'adopta comme son propre fils, nous donna son nom, et réussit à nous faire vivre décemment sur son maigre salaire. Il m'apprit à taper à la machine, à lancer des balles à effet, à manger avec des baguettes, et à me raser. Il a été la meilleure chose qui nous soit jamais arrivée ;

un bon mari et un bon père – mon véritable père, pour ce qui me concerne.

Il me manque, tous les jours. Je l'aimais, ma mère l'aimait, et il nous aimait de tout son cœur. Nous avons été pour lui le cadeau qu'il n'attendait plus. Nous sommes entrés dans sa vie juste à l'âge où il avait renoncé à fonder une famille après une série d'échecs sentimentaux. Ma mère et moi avions conscience d'être ce cadeau, et nous savions qu'il nous en était reconnaissant, parce qu'il nous le disait. Il fumait discrètement de grosses quantités d'herbe, cependant, sur le balcon de notre appartement, et je crois que c'est ce qui lui a donné un cancer du poumon. Il est mort au milieu des années 80, juste au moment où je terminais mon droit. Et sur le point d'entamer ma traversée du désert, faisant mes armes de jeune procureur dans le Queens mais me sentant très mal dans ma peau, notamment à cause de ma mère qui n'arrivait pas à se remettre de la mort de son mari.

C'est à peu près à cette époque que j'ai été convoqué à un entretien chez Patton, Corbett & Strode, sur la recommandation de quelqu'un qui était lié au cabinet. C'est Wilson Corbett en personne qui m'a reçu dans son bureau et m'a interrogé sur mes études de droit et le reste. J'ai été embauché, et ma vie d'adulte a commencé. Grâce à mon salaire, j'ai remboursé mon prêt étudiant, acheté ma première voiture, l'alliance de ma femme, j'ai payé notre lune de miel, notre appartement, le pédiatre de notre fille quand elle était bébé, ses frais de scolarité, les deuxième, troisième et quatrième voitures ; le cercueil de ma mère quand elle est morte il y a quatre ans. J'ai payé toute ma vie d'homme grâce aux salaires versés par le cabinet, et je lui en suis reconnaissant. Foutrement reconnaissant. Ma vie aurait pu être tout autre. J'aurais pu tout faire foirer, avant même qu'elle commence.

Vivant à Manhattan, j'ai conscience de ne pas être parvenu à grand-chose. Je ne suis pas particulièrement doué ni réputé. Et ça me va très bien. Je suis un type qui a vécu sa vie en ligne droite, pas trop de collines ni de vallées. Ma femme peut encore me regarder en face, et notre fille fait de bonnes études dans une université correcte. Et tout ça, je le dois au vieux Corbett. Alors si sa veuve me réclamait une vieille dette, en me demandant d'enquêter sur la mort de son fils, je ne pouvais pas refuser. Et j'étais décidé à aller jusqu'au bout. Advienne que pourra. Je n'avais rien dit de tout cela à ma femme, mais ce n'était pas la peine. Elle savait. Pour moi, il s'agissait de solder les comptes. Si Mme Corbett mourait et que je lui aie tourné le dos, je garderais ça sur la conscience et je ne pourrais plus jamais me racheter. Des regrets, j'en avais déjà suffisamment, je ne tenais pas à m'en fabriquer de nouveaux.

Alors que le taxi remontait la Huitième Avenue, le chauffeur tambourina sur la séparation en plexiglas.

— Quoi ?

— Hé, l'ami, vous avez des ennuis ?

— Non, pourquoi ?

— Quelqu'un nous suit depuis que je vous ai chargé. Ils ont déboîté aussi sec quand on a démarré.

Hicks, le privé engagé par Mme Corbett, et Mort, le barman du Blue Curtain Lounge, m'avaient tous les deux mis en garde contre d'autres personnes liées à Roger Corbett.

— Où sont-ils ?

— Ne vous retournez pas. Faites-moi confiance, je les ai repérés. Fourgonnette blanche. Ça vous dit quelque chose ?

— Rien du tout.

— Vous voulez que je fasse quoi ?

Je n'avais pas envie qu'on me suive jusque chez moi.

— Tournez dans la 50e, vers l'est !

Je lui demandai de me déposer sur Broadway, où je sautai du taxi après avoir payé la course. Je regardai derrière moi : la fourgonnette blanche se rangeait brusquement le long du trottoir. Mauvais signe. Je zigzaguai entre les piétons comme ce nouveau gamin recruté par les Knicks et m'engouffrai dans la bouche de métro. J'étais plutôt rapide pour un vieux bonhomme décrépit.

Je passai les tourniquets en quatrième vitesse et regardai par-dessus mon épaule. Difficile de dire si j'étais suivi. Sur le quai, je restai en arrière pour voir si quelqu'un me surveillait, puis je sautai dans la rame juste au moment où les portes se refermaient.

Est-ce que je leur avais échappé ? Je le crus, sur le moment.

6

Le récit du mannequin de mains

Eliska Sedlacek voulait me parler de nouveau, et l'angoisse que je perçus dans sa voix au téléphone quelques jours plus tard semblait indiquer qu'elle préférait le faire vite. Je lui proposai de me retrouver le soir même à l'extrémité nord d'Union Square. Après le travail, je pris la ligne R, où des types à côté de moi discutaient du récent acquittement des trois policiers en civil qui avaient abattu un adolescent noir à la sortie d'un night-club. J'avoue que j'écoutai cette conversation d'une oreille distraite ; pour quelqu'un qui a vécu à New York suffisamment longtemps, ces affaires de bavures policières ont quelque chose de tristement prévisible, y compris l'intervention des politiciens dans les médias, si bien qu'au lieu d'écouter ces hommes raconter ce que les flics savaient ou ignoraient avant de faire usage de leurs armes, je préférai m'imaginer que je serais rentré à temps pour voir les derniers tours de batte et la victoire à domicile des Yankees sur les Tigers.

À Union Square, Eliska m'attendait en haut des marches, portant des lunettes de soleil et des gants blancs pour protéger ses mains. Les gants ajoutaient une note de raideur surannée à son apparence. Nous nous saluâmes de manière empruntée – elle garda les bras le long du corps –, puis nous trouvâmes un banc.

— Il faut que je vous dise certaines choses que je vous ai pas dites avant, commença-t-elle. C'est une longue histoire, mais vous allez comprendre. Hier soir quelqu'un m'a appelée pour dire que j'avais de gros problèmes. Ces gens veulent quelque chose. Quelque chose que je n'ai pas.

— Et vous croyez que c'est moi qui l'ai ?

— Vous êtes la seule personne qui peut avoir cette chose, oui.

— D'accord, crachez le morceau.

Elle fronça les sourcils.

— Crachez le morceau ?

— C'est une expression. Ça veut dire c'est bon, dites-moi ce que vous avez à me dire.

Ce qu'elle fit, d'abord de façon hésitante, puis avec un certain soulagement, sans jamais quitter ses lunettes noires, ce qui m'amena à scruter ses lèvres pour déchiffrer ses émotions. Son anglais n'était pas si mauvais que cela, vraiment, et son récit était relativement clair, énième variation sur le très vieux thème de la jeune femme et du monsieur plus âgé. La surprise était que le monsieur plus âgé n'était pas Roger Corbett.

Eliska m'expliqua qu'elle avait grandi dans un village de la périphérie de Prague. Son père réparait les tracteurs, sa mère travaillait dans une grosse boulangerie. Au lycée, Eliska jouait dans une équipe de basket féminine, et un jour que son équipe mangeait dans un restaurant de la capitale, après un match, une femme élégamment vêtue s'était approchée d'elle et lui avait demandé si elle pouvait s'asseoir. Elle se présenta comme dénicheuse de talents pour une agence de mannequins milanaise et déclara qu'Eliska possédait des jambes et des mains parfaites pour des publicités n'utilisant que ces parties du corps. Était-elle intéressée ? Eliska répondit qu'elle n'en savait rien. Est-ce qu'elle pourrait continuer à jouer au basket ? Non, avertit la femme, les fractures et les luxations des doigts étant monnaie courante chez les joueurs de basket. Eliska voulut savoir combien gagnait ce genre de mannequin. Quand la femme lui répondit, elle en resta bouche bée, sachant à quel point son père et sa mère travaillaient dur pour le peu qu'ils gagnaient. Moins d'un mois plus tard, elle se retrouvait à Milan pour sa première séance photo. On lui apprit à hydrater et à protéger ses mains. Tous les soirs, elle les enduisait de beurre de cacao et de vaseline avant d'enfiler des gants en latex jetables. Elle se douchait avec ses gants, des élastiques passés à chaque poignet. À seize ans, elle pouvait espérer tirer profit de ses jambes pendant encore cinq ans, à condition qu'elle ne grossisse pas, ne tombe pas enceinte, et ne soit pas victime d'un accident qui lui laisse des cicatrices. Mais ses mains pouvaient être exploitées jusqu'à la trentaine environ, en supposant qu'elle les protège du soleil et ne les abîme pas.

Eliska donna ses modestes premiers cachets à ses parents, qu'ils employèrent à changer les tuiles sur le toit de leur maison et pour acheter au père de nouveaux outils de mécanicien. Elle était heureuse de pouvoir les aider, me dit-elle, mais son nouveau statut économique changea les choses, notamment avec sa mère.

— Elle avait l'impression que je méprisais son travail, que j'étais trop bien pour elle, se souvenait Eliska. Je crois aussi elle savait que je ne resterais pas à la maison et qu'elle devait s'y préparer, même si ça faisait de la peine. J'étais juste une gamine à l'époque, je ne comprenais pas vraiment ce qui arrivait.

L'agence de mannequins lui suggéra de s'installer à Paris, ce qu'elle fit, rendant ses parents malheureux. L'agence lui trouva un appartement qu'elle partagea avec deux autres jeunes mannequins, un endroit miteux aux murs écaillés près de la gare du Nord, et elle s'aperçut bien vite qu'elle gagnait juste assez pour s'habiller correctement et manger à sa faim, mais pas davantage. L'agence semblait savoir exactement combien il lui fallait pour vivre, et le montant de ses cachets avait l'air d'être calculé au plus juste, de manière à l'obliger à travailler. En en discutant avec les autres filles, il lui apparut bientôt que le monde du mannequinat était un système de classes impitoyable ; elle ne jouait pas dans la même catégorie que les mannequins de podium, même les moins cotés, lesquels se livraient une lutte acharnée pour être mieux payés et gagner en visibilité. Et puis il y avait les stars de la profession, créatures éthérées qu'on aurait dit faites de lumière et de couleurs. Quand elle les regardait, elle savait pourquoi elle était et serait toujours un mannequin de « détails ».

Elle sortait avec des hommes – enfin, comme les jeunes femmes font avec les garçons de leur âge. Un soir qu'elle se trouvait dans un bar avec ses amies, elle se fit aborder par un homme corpulent d'une petite quarantaine d'années. Il était russe, et comme il ne parlait ni français ni allemand, il communiqua avec elle en anglais, langue qu'elle maîtrisait mieux que le russe. Il s'appelait Nikolaï Gamov. Elle se méfiait instinctivement des Russes, connaissant l'histoire de la mainmise soviétique sur la Tchécoslovaquie, mais elle ne put s'empêcher de le trouver charmant. La différence d'âge ne la dérangeait pas, au contraire. Une chose en entraînant une autre, comme c'est si souvent le cas, il ne tarda pas à lui rendre visite chaque fois qu'il était de passage à Paris. Elle commença à souffrir de ses absences, et, oui, à l'aimer. Ils rêvaient de s'installer un jour en Amérique. Il lui disait qu'il en avait assez de faire des affaires en Russie, que c'était trop dangereux, et qu'il avait le sentiment que, sous le régime de Poutine, le pays régressait politiquement : « Les gens ne se rendent pas compte c'est grâce au pétrole que la Russie entretient ses forces armées. Si le cours du pétrole reste élevé, Poutine nous conduit à la guerre. J'ai vu ce qui est arrivé à mes oncles en Afghanistan et à mes cousins en Tchétchénie. En Amérique, on n'est pas obligé de s'engager dans l'armée de terre ou la marine. Quand on a passeport américain, on peut voyager et faire affaires en Chine, en Corée du Sud, en Inde. Aucun problème. On est libre. »

Eliska était séduite à l'idée de vivre en Amérique. Et Nikolaï et elle faisaient des projets d'avenir. Elle partirait là-bas la première et entamerait les démarches en vue d'acquérir la citoyenneté américaine.

Après quoi ils se marieraient. Elle envoya son book aux agences de New York et, à sa grande joie, on lui demanda de venir aux États-Unis pour une série de séances photo, notamment pour présenter une montre à quatre-vingt-sept mille dollars. On lui demanda ensuite de verser du vin dans un verre. Puis de présenter des bagues. En quelques mois, elle avait accumulé suffisamment d'heures pour obtenir un visa de travail et louer un appartement bon marché au niveau de la 101e Rue et de la Deuxième Avenue. Toutes les deux ou trois semaines, elle retournait à Paris – un mode de vie mouvementé mais excitant –, et Nikolaï lui demandait chaque fois de rapporter quelque chose dans sa valise. Des petits soldats. Ils étaient lourds, en métal brut, et elle n'avait pas l'impression qu'ils aient été achetés dans le commerce. Il y en avait trois différents : un soldat lançant une grenade, son bras ramené en arrière ; un autre épaulant un fusil un genou à terre ; et le dernier rampant par terre, un fusil à la main. À chaque voyage, Nikolaï en éparpillait quelques-uns dans le bagage qu'elle faisait enregistrer.

— Il me disait de les mettre dans une boîte et qu'il les récupère quand il vient en Amérique. Des fois il me donnait des décorations de Noël, des bottes, des trains. Je remplissais une boîte et encore d'autres avec ces choses. Dessus, il y a écrit MADE IN CHINA, mais Nikolaï disait ils étaient pas fabriqués en Chine mais dans petite ville près de Moscou avec des moules spéciaux d'origine chinoise. C'est de là que vient sa famille, je sais. Son frère découpe de vieilles voitures pour récupérer les pièces détachées et aussi, bien sûr, il vole des voitures, parfois en Europe occidentale, en effaçant numéros. Je ne posais pas trop de questions à Nikolaï. Son frère est plus âgé, très russe, il est gros et boit trop. Je crois c'est un voyou. Je l'ai rencontré à Paris quand il était avec Nikolaï. Une fois j'ai demandé si les décorations étaient or ou argent, et lui a répondu ni l'un ni l'autre. Qu'est-ce que c'est ? j'ai demandé, et lui me dit j'ai pas besoin de savoir. Pourquoi je fais ça, alors ? et il me dit : « Pour nous, pour quand on vivra en Amérique. Je t'expliquerai une autre fois, fais-moi confiance. » Il veut toujours venir en Amérique. Paris, ça va, mais c'est en Amérique qu'il veut aller. Il est très occupé par affaires, alors je dis OK. Moi, je ne sais rien des affaires à lui, surtout en Russie, où il y a tellement de corruption. Et puis aussi, il me gâte beaucoup, il m'achète vêtements et parfum et tout ça. Des fois il me demande de venir à Paris juste pour venir chercher ses petits soldats et les rapporter ici, et la plupart du temps, je dis d'accord, je vais le faire. Et puis une fois, la dernière, l'année passée, il m'a demandé de venir chercher une très grosse boîte. Il voulait je prenne l'avion de Paris à Montréal et je rentre à New York par le train. Parce qu'ils ne fouillent pas les bagages dans les trains. Nous avons grosse dispute, mais j'ai fini par dire oui. Alors je prends l'avion pour Montréal et je récupère la boîte sur le tapis des bagages, elle est très lourde, et je reste à l'hôtel à Montréal pendant deux jours et je vais à l'agence de mannequins là-bas pour réunion et ensuite je prends le train pour New York. Quand on entre aux États-Unis par le train, la police de frontière est très méfiante, mais je suis préparée pour eux. Ils demandent pourquoi je vais à New York, et je réponds je suis mannequin, j'avais une réunion à Montréal, et maintenant j'ai engagement professionnel à Manhattan. Bien sûr je porte mes gants tout le temps dans le train malgré la chaleur, et c'est une bonne preuve, non ? Et j'ai aussi mon book, avec photos très professionnelles. Mais le policier, ça ne lui plaît pas et le chien vient me sentir et la femme policier m'amène dans un endroit pour chercher drogue sur moi. Mais je n'ai rien. Ils appellent l'agence à Manhattan, et eux, ils disent, oui, elle vient travailler ici. Alors ils me remettent dans le train. Et enfin j'arrive à New York, je rentre chez moi en taxi et je me dis c'est la dernière fois je fais ça. Ensuite je vais travailler, et après, j'essaie d'appeler Nikolaï mais il ne répond pas. J'essaie e-mail, et ça non plus, ça donne rien. Une semaine passe environ, et je suis très nerveuse. Je pleure trop, même au travail. Alors j'appelle mon agence à Paris, et on me dit quelqu'un a laissé un message et je dois rappeler cette personne. C'est un numéro russe, et ça me rend très nerveuse, alors je trouve une cabine dans la gare routière de la Huitième Avenue. Je porte chapeau et lunettes de soleil, j'ai enlevé mes gants et j'ai mis un manteau épais, pour me grossir. J'utilise carte téléphonique que j'ai achetée juste pour ça et j'appelle le numéro. Une femme répond et dit : « Nous pensons que vous devez savoir que Nikolaï a été retrouvé dans une chambre d'hôtel à Pusan. Il a été torturé et tué par balle. Parce qu'il nous a volé quelque chose. » Je ne sais pas où est Pusan, ce n'est pas en Russie. Ensuite elle dit : « Des gens veulent vous parler », alors moi, je raccroche tellement j'ai peur. Ensuite j'apprends que Pusan est une ville sur la côte de la Corée du Sud. Je sais pas pourquoi Nikolaï est allé en Corée du Sud. Qui il connaît là-bas ? Il n'en a jamais parlé. Je sais je ne peux plus retourner à Paris, et tous ceux qui me connaissent savent où j'habite, alors quelques jours après, je m'installe dans Broome Street, avec mes affaires, mes vêtements, tout.

— Et les boîtes de soldats, les petits trains ?

— Oui, tout ça, j'ai mis dans quatre ou cinq cartons et j'ai donné quatre cents dollars à deux garçons pour tout déménager.

— Et c'est dans ce nouvel appartement de Broome Street que vous avez rencontré Roger Corbett ?

— Oui, il habitait en dessous chez moi, et on est devenus amis, vous savez. Je me sens seule, et je ne fais confiance à personne, et lui, il est très américain, il m'a montré des photos de sa famille et de ses enfants, et j'ai su j'avais rien à craindre de lui. Je ne lui ai pas dit grand-chose de moi. Il était gentil. Je l'aimais bien. Il m'a expliqué beaucoup de choses sur la manière dont l'Amérique fonctionne vraiment et il disait il pourrait m'aider à trouver bon avocat pour ma naturalisation. J'ai demandé à Roger si je pouvais mettre des affaires à moi dans son appartement, et il a dit pas de problème. J'avais la clé de toute façon, vous savez, parce qu'on se voyait tout le temps.

— Vous avez donc transporté les cartons dans son appartement ?

— Oui, je les ai mis au fond de la penderie, et il n'y a plus pensé, et moi, je les ai presque oubliés.

Je n'étais pas certain de croire qu'elle les avait oubliés.

— Attendez, vous êtes en train de me dire que vous avez passé ces objets en contrebande à la demande de votre petit ami russe, lequel refusait de vous révéler leur véritable nature, même s'il est évident que quelqu'un s'est donné beaucoup de mal pour les fabriquer. Après quoi votre ami se fait tuer pour avoir volé quelque chose, vous déménagez parce que vous avez peur, et vous dissimulez les cartons dans l'appartement de Roger. Et vous me dites que vous les avez « oubliés » ? C'est un peu gros, non ?

— Bon, d'accord, bien sûr j'y pense, je sais il y a des gens en Russie qui veulent peut-être les récupérer, mais s'ils me retrouvent moi, ils ne trouveront pas les cartons dans mon appartement. Je sais pas quoi faire. Je sais pas à qui parler de ça. Je fais confiance à aucun Russe dans ce pays. Et je me dis je vais en parler à Roger, il est tellement intelligent, mais il a d'autres problèmes.

— Comme quoi ?

— Il vient de divorcer, cherche un travail, toutes ces choses importantes.

L'un dans l'autre, le récit d'Eliska ne manquait pas de saveur ; il y avait de l'argent, du sexe et de la violence. Il m'avait même presque entièrement convaincu. Est-ce que c'était la vérité ? C'était une autre question.

— Montrez-moi vos mains, dis-je.

— Pourquoi ?

— Simple curiosité.

— Mais je vous demande de pas les toucher.

— Ne vous inquiétez pas.

Se tournant vers moi sur le banc, elle ôta un gant, doigt après doigt, puis passa à l'autre main. Elle s'assura d'un regard que je comprenais qu'il s'agissait là d'un geste d'une grande intimité, que ses mains n'étaient pas simplement protégées mais qu'il était interdit de les voir, surtout dans la lumière déclinante d'un soir d'été. Après avoir retiré ses gants, elle tendit ses mains en l'air dans une pose professionnelle. Elles étaient magnifiques et pâles, avec des doigts d'une longueur étonnante, naturellement assortis au reste ; son long cou, ses bras, son torse et ses jambes. Elle les fit tourner dans le vide, comme si chacune d'elles tenait un fruit invisible. Ces doigts sublimes ne touchaient que des matières précieuses : diamants, or, montres, la carapace lisse de voitures qui coûtaient plus cher que des maisons. Les ongles étaient immaculés, parfaits. Ces mains-là ne saisissaient plus, ne pinçaient plus, ne grattaient plus ; elles évoquaient l'immortalité et la perfection. Après les avoir vues sans gants, nues, je comprenais pourquoi elle les dissimulait.

— Nikolaï aimait-il vos mains ? me surpris-je à demander.

— Bien sûr, mais…

— Mais quoi ?

— Mais il les voyait pas très souvent.

Eliska marqua un temps d'arrêt, sourit furtivement.

— Seulement dans occasions spéciales.

Sur ces mots, sachant peut-être qu'elle pouvait changer l'atmosphère de la conversation, elle tendit la main droite et, avec une infinie douceur, fit courir ses doigts interminables sur mon visage, ma joue, et, de façon irrésistible, sur mes lèvres.

— Vous sentez comme elles sont douces ?

Je le sentais, en effet, et, fermant les yeux à cet instant précis, je compris ce que Roger avait pu éprouver. C'étaient les doigts qui l'avaient caressé, lui avaient apporté une consolation.

Eliska perçut ma réaction.

— Alors peut-être vous m'aiderez ? demanda-t-elle.

Ce soir-là je regardai Detroit battre les Yankees pour le second soir d'affilée. L'équipe n'arrivait pas à faire basculer le match. Seul Jeter était régulier. Les remplaçants paraissaient fébriles. Comme beaucoup de fans des Yankees, mon humeur fluctuait avec les résultats de l'équipe. Et mon humeur était sombre.

Remarquez, j'essayais peut-être simplement de ne pas penser à Eliska Sedlacek et à sa main si particulièrement douce s'attardant sur ma joue d'homme mûr. Comme elle s'y attendait, ses doigts soyeux avaient envoyé des messages excités dans le tunnel souterrain de ma libido. Mais ce n'était pas la seule chose qui m'avait énervé, non.

Ma femme lit au lit presque tous les soirs, généralement le thriller de la décennie du mois en cours. Après qu'elle fut confortablement installée sous les couvertures, je me glissai dans mon bureau et me connectai à Internet. Je savais que la *Pravda*, le quotidien russe, alimentait un site en langue anglaise et, non sans une certaine appréhension, je tapai le nom de Nikolaï Gamov dans le moteur de recherche. En réponse à ma requête, un article apparut, version abrégée d'un papier publié à l'origine par le *Seoul Herald*. On y expliquait que Gamov avait été abattu de huit balles et que le revolver retrouvé sur les lieux avait été identifié comme étant un Baïkal, de fabrication russe. Gamov, rappelait le journaliste, avait été « soupçonné de pratiques commerciales illégales ».

Je me renversai dans mon fauteuil, un peu abasourdi. La petite amie d'un mafieux russe assassiné *me* demandait de récupérer des cartons de marchandise passée en fraude aux États-Unis. Devais-je le faire ? Sans doute pas. Allais-je vraiment au-devant des ennuis ? Possible. Je devais supposer que les assassins de Gamov connaissaient l'existence de cette marchandise, et donc qu'ils étaient peut-être au courant de l'existence d'Eliska, et pourquoi pas de la mienne. Étaient-ce les mêmes individus qui avaient suivi mon taxi ?

Réfléchis, George. Comment vas-tu arriver à te sortir de ce traquenard ? J'avais un vieux copain d'école, Anthony G., qui avait été confronté à ce genre de situation. Je pourrais lui demander conseil. Mais il me faudrait probablement un moment avant de pouvoir le joindre. En attendant, je me rappelai qu'Eliska soutenait que Roger Corbett ne savait rien du contenu des cartons qu'elle avait entreposés dans son appartement. Peut-être était-ce vrai, peut-être non. Quoi qu'il en soit, mon enquête revêtait à présent un caractère d'urgence supplémentaire. Était-il au courant de l'existence de Nikolaï Gamov ? Savait-il que sa nouvelle copine avait planqué de la marchandise de contrebande dans son propre appartement ? Le dernier appel de Roger était-il lié à cet arrangement ? Et quid du bout de papier qu'il examinait au moment de sa mort ? Le nom de Gamov y était-il inscrit ?

La question, je m'en rendis compte, était désormais de savoir avec qui d'autre Roger avait été en contact au cours des dernières semaines de son existence. Je me rappelai que le Dr Greenfeld, le dentiste des stars à la retraite que j'avais rencontré dans la boutique de gravures anciennes, avait parlé à Roger d'un certain Charles Weaver qui habitait dans le Queens, le désignant comme le « gardien des secrets » de Wilson Corbett, et avait précisé que Roger avait fini par retrouver sa trace.

Le lendemain matin, j'entrepris à mon tour de le localiser, ce qui ne fut pas bien difficile, grâce à l'accès en ligne de mon cabinet aux archives immobilières de la ville. Je trouvai l'adresse d'un teinturier à Floral Park et appelai. Un homme me répondit, grognon en diable mais heureux d'être grognon. Je lui expliquai la raison de mon appel, non pas que cela l'intéresse beaucoup. Il avait l'air d'avoir dans les quatre-vingts ans, mais devait être du genre à mettre encore de la moutarde dans ses hot-dogs.

— Vous voulez me causer, très bien, je serai en train de jouer au poker, ronchonna Charles Weaver. Mais faut rien attendre de moi, d'accord ?

7

Chèque ou liquide ?

J'allai à Floral Park en prenant la Long Island Expressway jusqu'au Cross Island Parkway, quittai la voie rapide, puis me retrouvai rapidement en train de rouler au pas sur Jamaica Avenue, cherchant à localiser la boutique de Weaver tout en écoutant le match des Yankees qui jouaient à l'extérieur contre Cleveland, avec un Pettitte en forme.

Je localisai la boutique, entendis Jeter frapper une balle rapide, éteignis le moteur, et entrai à l'intérieur. Un vieil homme fatigué écoutait également le match, et nous suivîmes ensemble la fin de la manche.

— Qu'est-ce que je peux faire pour vous ?

— Je suis George Young. Nous nous sommes parlé au téléphone.

Il examina mon costume.

— Ça me ferait mal.

— Vous êtes Charles Weaver ?

— Je suis son frère et de loin le plus beau des deux. Il est au fond.

Je le suivis dans l'étroit couloir, mes épaules effleurant des jupes et des pantalons enveloppés dans des housses transparentes, puis il pénétra dans une pièce froide et humide où quatre hommes jouaient aux cartes. Tous plus ou moins chauves. Ils étaient assis autour d'une table garnie de bières, d'un bol de pickles et de ce qui ressemblait à des sandwichs au poisson frit.

— Charlie, monsieur dit qu'il t'a téléphoné.

L'un d'eux, sur le point de mordre dans son sandwich, leva les yeux.

— C'est vous le type de Manhattan ?

Je confirmai d'un hochement de tête.

— Ça va prendre combien de temps ? Ces gars-là, ils font n'importe quoi avec leur pognon, et il me faut peut-être encore dix, quinze minutes pour finir de les plumer.

Les autres relevèrent à peine le sarcasme. Ils avaient déjà souvent eu droit à ce numéro, semblait-il. Le téléphone sonna. Weaver décrocha de sa main libre. Il écouta, dit : « D'accord, j'arrive », raccrocha et s'adressa à son sandwich avant d'y planter les dents.

— Faut que j'aille chercher les pilules d'Alva. Je serai revenu dans deux ou trois parties. Sammy, touche pas à mes pickles. Vous (il pointa le doigt sur moi), venez avec moi. C'est moi qui conduis.

Manifestement, il y tenait. Derrière la teinturerie, une Cadillac verte était garée dans une allée étroite, son pare-chocs arrière immaculé orné d'un autocollant défraîchi McCain président. Une fois à l'intérieur, je remarquai une boîte de cigares cubains scotchée n'importe comment au tableau de bord de la luxueuse voiture.

Weaver me tendit son sandwich et tira une minuscule paire de ciseaux de sa poche de poitrine.

— Tenez-moi ça, il faut que je fume.

Il sortit un cigare de la boîte, en sectionna l'extrémité et l'alluma.

— Vous connaissez Floral Park ?

— Non, répondis-je, en lorgnant le sandwich avec intérêt.

— Alors je vous fais la visite (et nous voilà partis). Alors comme ça, vous avez causé avec le vieux Greenfeld, et il vous a envoyé dans ma direction.

— Il m'a dit que Roger Corbett essayait de…

— Voyez cet endroit ?

Weaver pointa son barreau de chaise sur une station-service où de nombreux automobilistes faisaient le plein.

— J'aurais pu l'acheter en 1974 pour vingt-trois mille billets, quel crétin j'ai été, je pensais que c'était trop risqué. Qu'est-ce que j'en savais ? Enfin bref, le gamin, il voulait que je le rancarde sur le passé de son père, ça m'a mis dans une situation pas possible.

— Pourquoi ?

— Parce que j'ai quatre-vingt-quatre ans, bon sang, et voilà que ce Roger m'appelle et me dit : « Vous avez connu mon père il y a longtemps, s'il vous plaît, racontez-moi ses petits secrets. »

Les yeux de Weaver s'animèrent, et il tendit brusquement la main vers une franchise de fast-food.

— Là, le bail arrive à terme, le propriétaire veut les mettre dehors.

Nous roulâmes encore une minute.

— Vous disiez… à propos de ses secrets ?

— Ça va, j'y viens, donc il voulait savoir toutes ces choses, et bien sûr, ça soulève des tas de questions : pourquoi le père n'a rien dit au fils, pourquoi la mère n'a rien dit au fils ? Et si le vieux Willie Corbett était encore en vie, qu'est-ce qu'il voudrait que je dise ? Vous comprenez, moi, je suis qu'un vieux bonhomme qui ne sait plus où il a rangé son sonotone, et voilà que je suis censé communiquer avec les morts !

Il me regarda, les yeux écarquillés, comme si j'étais la source de son problème.

— Eh bien, figurez-vous que ça me tracasse, pigé ?

Tandis que nous remontions l'avenue, il s'absorba dans la contemplation du paysage, ce qui détourna de nouveau son attention.

— Vous voyez cette pancarte « À vendre » ? Je connais le propriétaire, Frankie Phelan. Il a pris un de ces emprunts ajustables. Vous savez à quoi je pense quand j'entends le mot *ajustable* ?

— Euh, non.

— Je pense à ces pantalons qu'on faisait dans les années 60, du temps où Lyndon Johnson était président, ils avaient un élastique dans la ceinture et s'adaptaient à votre tour de taille. Et ils continuaient à s'ajuster quand vous preniez du ventre. Alors ça… Vous voyez ? Il y en a un autre, là-bas ! Elle appartient aussi à Frankie, il a trop emprunté dessus et il a utilisé l'argent pour acheter à Miami des appartements qui n'étaient même pas sortis de terre. Six en tout, six hypothèques. Et maintenant il n'arrive pas à vendre ! Pan dans la gueule ! Tu parles d'un *ajustement*, il s'est sacrément serré la ceinture, oui !

Je commençais à me dire que Weaver se foutait de moi.

— Alors qu'avez-vous dit à Roger Corbett ?

Il me lança un regard noir.

— J'ai dit : « Tu veux savoir ce que je sais sur ton père ? Très bien. Mais ça va pas te plaire, jeune homme. Ton père, je lui dis, je l'ai connu quand c'était encore qu'un gommeux, avant son mariage, quelque part dans les années 50, alors, primo, son cabinet quatre étoiles à Manhattan, il l'a créé en gagnant dix-huit mille dollars au poker, sur un chalutier, au large de Greenport, Long Island, et je suis bien placé pour le savoir vu que c'était moi le gars qui comptait les cartes pour lui de l'autre côté de la table. On avait mis au point une arnaque qu'on répétait depuis des semaines. On aurait pu se faire tuer s'ils nous avaient pincés. Faut dire qu'on l'aurait pas volé. On était des crétins de première. Deuzio, je lui dis, ton père, c'était un incorrigible queutard, si tu vois ce que je veux dire ? Il a eu au moins un gosse hors mariage, peut-être plus. Pour les gens d'un certain milieu, ce genre de chose était très mal vu à l'époque. » Le petit Roger, bien sûr, ça l'a drôlement intéressé. Il voulait savoir si c'était une fille ou un garçon, etc., et moi je lui ai dit que je me rappelais pas, que je n'avais jamais rencontré aucune des relations féminines de Willie, mais que, en revanche, je savais qu'il versait une pension alimentaire, et qu'il y en avait peut-être des traces quelque part dans ses papiers... Attendez, j'adore cet endroit !

Weaver agita vivement son cigare en direction d'un petit bâtiment commercial.

— Il m'a appartenu deux fois, je l'ai vendu en 87, quand le marché était au plus haut, racheté en 93, revendu en 2004, c'était un vrai…

Weaver ne termina pas sa phrase. Nous continuâmes à rouler. Il souriait. Ou peut-être était-ce l'aérophagie qui le faisait grimacer.

— Vous disiez ?

Il balaya du regard la banquette de la Cadillac et sembla surpris de me trouver là.

— Oh, oui, attendez une minute… la partie de poker. Oui, les petits bâtards, et puis, ah oui, la troisième chose, c'est que Willie m'a un jour avoué qu'il était pas foutu de diriger sa propre boîte, et qu'au début, c'était sa secrétaire qui était aux commandes. Ça la fout mal, non ? Un cabinet juridique de premier plan dirigé par la secrétaire du patron ? Personne n'était au courant, évidemment. Il gagnait les gros procès, mais c'est elle qui faisait tourner la boutique. Qui lui disait qui engager et qui virer. Ç'a duré une bonne dizaine d'années. Willie se la tapait peut-être, allez savoir ! Cette femme était un génie de la stratégie juridique, qui plus est. Son nom aurait dû être inscrit sur le papier à en-tête du cabinet, si vous voyez ce que je veux dire. Elle assistait à toutes les réunions en prenant des notes, et après, ils en parlaient. Les autres associés ne lui auraient même pas donné l'heure, mais c'était avec elle que Willie discutait de tout.

J'étais entré au cabinet à la toute fin du règne de Wilson Corbett.

— Cette femme ne s'appellerait pas Anna Hewes ?

— Je me rappelle pas, mais en tout cas, j'ai raconté tout ça à Roger.

Weaver secoua la tête.

— Mettez-vous à sa place : « Ton père a au moins un autre gamin dont tu ne sais rien, il a créé son cabinet avec de l'argent gagné illégalement au jeu, et ce n'est pas vraiment lui qui l'a rendu aussi prospère. » Ça faisait beaucoup à avaler. Si ça ne lui a pas plu, tant pis pour lui.

Je n'arrivais pas à faire le lien entre ces informations et ce que j'avais appris sur Roger Corbett.

— Je sais que la question va vous paraître saugrenue, mais Roger vous a-t-il jamais parlé de décorations de Noël ou de sa petite amie tchèque ?

— Quoi ? Noël en Tchécoslovaquie ? Je ne sais pas de quoi vous parlez. Il n'était question que de son père.

Weaver me regarda, radouci.

— Ce dont je suis sûr, en revanche, c'est qu'en vieillissant, un des trucs que les hommes veulent vraiment savoir, c'est qui était leur père.

Le lendemain matin, je glissai dans ma poche les deux décorations grossièrement fabriquées que j'avais prises dans les cartons de Roger, fis un détour sur le chemin du bureau, et montai l'escalier de Diamond District Assaying & Smelting Incorporated sur la 47e Rue, entre la Cinquième et la Sixième Avenue. Je sonnai à la porte. La cabinet avait traité quelques affaires concernant des commerces spécialisés dans l'achat et la vente de métaux précieux, leur caractéristique principale étant qu'ils ne produisaient rien, et devaient donc vendre rapidement ce qu'ils achetaient, de peur que les cours au comptant, toujours volatils, ne leur soient défavorables. Une activité qui brassait de gros volumes et dégageait de petites marges. Dans cette branche, les escroqueries à l'assurance étaient rarement liées à des incendies, car le feu ne détruit ni l'or ni l'argent. Quant au vol, bien entendu, c'était une autre histoire.

La porte donnait sur une petite pièce aveugle qui contenait une table sur laquelle était posé un plateau en plastique, une caméra de surveillance, et une autre porte. Au centre de la pièce, un portique de détection de métaux comme on en trouve dans les aéroports. L'interphone mural grésilla et une voix se fit entendre.

— Oui ?

— Je suis ici pour…

— Ôtez votre manteau.

J'enlevai mon manteau.

— Quel métal avez-vous ?

— Je ne sais pas, dis-je dans le vide.

— Vous ne savez pas ?

— De l'argent, je suppose.

— Déposez-le sur le plateau.

Je m'exécutai. Les décorations avaient l'air encore plus minables qu'auparavant.

— Maintenant, passez lentement sous le détecteur.

Ce que je fis.

— Reprenez vos objets.

La seconde porte bourdonna, et je la poussai, mon manteau et mes décorations de Noël dans les bras. La pièce contiguë n'était guère plus spacieuse. Un homme vêtu d'un blouson en cuir se tenait devant moi. Il avait des bagues en or à chaque doigt, une montre en or, et une épaisse chaîne autour du cou, également en or.

— Levez les bras, s'il vous plaît. Simple formalité.

Il fit passer un détecteur manuel sous mes aisselles, entre mes jambes, sur ma poitrine et mes bras.

— On n'avait pas à être aussi prudents avant, mais tous les deux ans environ, quelqu'un fait le malin, et il y a un problème.

Il me fit signe d'approcher du comptoir.

— Vous avez de l'argent alors ?

Je lui remis les décorations. Il les examina et secoua la tête.

— Ce n'est pas de l'argent.

Il les posa sur le comptoir.

— C'est un alliage, qui contient peut-être un peu d'argent.

— Qu'est-ce que c'est comme métal ?

— On va laisser la machine nous le dire, d'accord ? On va faire une analyse pour déterminer la composition. S'il n'y en a que pour vingt-cinq cents d'aluminium, l'analyse sera quand même à votre charge, compris ?

— Oui.

Il tira un plateau de la machine, y déposa les décorations, et repoussa le plateau dans la machine.

— C'est quoi, ça ?

— Un spectromètre de fluorescence X à dispersion de longueur d'onde. On bombarde l'échantillon aux rayons X et on mesure l'énergie dégagée. Les transitions électroniques, ça vous dit quelque chose ?

— Non.

— Cette machine est très précise. Elle mesure la composition de presque n'importe quel échantillon.

Des chiffres et des lettres défilèrent sur un écran d'ordinateur – les symboles chimiques des différents éléments, supposai-je.

— Aucune trace d'argent.

Il parcourut les résultats en clignant les yeux, puis les examina plus attentivement.

— Intéressant. Où vous êtes-vous procuré cet échantillon ?

En cas de nécessité, je peux avoir un regard très convaincant.

— C'est une longue histoire.

Il opina.

— Vous souhaiteriez nous vendre cet échantillon ?

— Qu'est-ce que c'est ?

— Un alliage d'acier de mauvaise qualité et d'un métal rare appelé rhodium.

— Rare et cher ?

— Je vous le dirai volontiers, mais je dois d'abord vérifier quelque chose avec mon patron.

Il battit en retraite à l'extrémité du comptoir et décrocha un téléphone. J'étudiai l'écran où s'affichaient les différents cours des métaux, mais ne vis rien qui ressemblait à celui du rhodium. En revanche, l'or et le platine faisaient le yo-yo tandis que les spéculateurs professionnels tentaient d'anticiper les variations du cours du pétrole, du dollar, et de Dieu sait quoi d'autre.

Au bout du comptoir, l'homme hocha la tête et raccrocha.

— Le patron dit qu'on n'achète pas ce métal en général.

— Ah.

— Mais il demande s'il y en a plus. Si vous en avez plus, il est prêt à payer.

— Je sais où en trouver une assez grosse quantité.

— Comme celui-ci, même composition ?

— Oui.

— Dans ce cas, nous paierons votre échantillon, pour que vous nous en apportiez d'autres.

Il appuya sur une touche de son ordinateur. L'écran changea.

— Le prix a un peu baissé ce matin. Nous avons donc 6,47 onces d'acier de mauvaise qualité qui n'ont aucune valeur, peut-être un cent, pas plus, et pour le rhodium, l'analyse donne 2,36 onces, je vous paie au prix comptant moins neuf pour cent.

— Je devrais peut-être le vendre ailleurs, pour m'approcher du prix du marché.

— Monsieur, le rhodium est un métal industriel, et il est vendu sous forme raffinée, en lingots ou en bobines, à de grandes entreprises. C'est à ça que correspond le prix du marché. Votre échantillon est mélangé à de la ferraille. Pourquoi, je n'en sais rien (il me lança un regard par-dessus ses lunettes) et je ne veux pas le savoir. Il devra être fondu, ce qui représente une opération très onéreuse et très polluante. Les fondeurs qui récupèrent le rhodium possèdent de grosses structures. Nous, nous ne sommes que des intermédiaires. Et eux ne paient pas au prix comptant, soyez-en sûr.

Son explication semblait plausible.

— Et quel est le cours actuel de l'once ?

Il désigna une colonne de chiffres scintillants.

— Aujourd'hui, il y a trois minutes, on était à neuf mille quatre cent seize dollars.

Impossible.

— L'once ?

— Oui.

Moins neuf pour cent, ça allait chercher dans les huit mille cinq cents dollars. Je sentis ma pression artérielle grimper en flèche, une des nombreuses sensations nouvelles qui vous assaillent à la cinquantaine.

— Chèque ou liquide ?

Un chèque laisserait une trace indélébile.

— Liquide.

Il sortit de son tiroir une liasse de billets de cent dollars neufs, déchira le bracelet, et introduisit les billets dans une compteuse. Après quoi il prit deux coupures de vingt, une de un dollar et de la petite monnaie dans un tiroir-caisse.

— Ça vous fait vingt mille deux cent vingt et un dollars et quatre-vingts cents. Vous voulez recompter ?

— Non.

Il mit le tout dans une enveloppe et scotcha le reçu dessus.

— Si vous voulez bien signer.

Je le fis aussi illisiblement que possible.

Il tendit l'enveloppe vers une petite caméra vidéo.

— Je vais vous demander de décliner votre identité, de préciser la date, le montant, et de dire : « J'ai été payé en totalité et suis entièrement satisfait de la transaction. »

Je répétai cette formule devant la caméra et le remerciai.

Une minute plus tard, je marchais dans la rue avec cette énorme liasse dans ma poche de poitrine. Une fois dans mon bureau, je ne pus résister à l'envie d'ouvrir l'enveloppe et de la regarder. Elle avait cette odeur de billets neufs en plus. Je rangeai l'argent dans mon tiroir. Vingt mille dollars pour deux décorations de Noël minables. Qui était au courant ? Pas Roger Corbett, ni sa femme, qui avait payé des déménageurs pour vider son appartement. Le local de stockage renfermait cinq lourds cartons pleins de ces décorations. Une fortune. Au regard de la loi, ces cartons ne faisaient pas partie de la succession de Roger Corbett, pas plus qu'ils ne revenaient à sa femme ou à sa mère, ils ne m'appartenaient certainement pas, et on pouvait se demander s'ils avaient jamais appartenu légalement à Eliska Sedlacek. Avaient-ils été volés par son petit ami russe, Nikolaï Gamov ? Cela paraissait probable, mais comment allais-je le prouver ? En appelant le consulat russe ? En allant jouer les détectives à Moscou ?

Mais ce n'était pas la bonne question. La question qu'il fallait se poser était la suivante : qui, à part Eliska Sedlacek, savait que j'avais accès à ces cartons, et quelles misères était-on prêt à me faire pour les récupérer ?

8

Un crétin de génie

Chacun de nous, je suppose, a sa liste secrète des choses les plus stupides qu'il ait jamais faites. Nos actions les plus autodestructrices, les plus illusoires ou les plus blessantes. Par exemple, j'aurais voulu ne pas avoir écouté les cancérologues qui m'affirmaient pouvoir sauver ma mère. Elle a subi plusieurs opérations qui l'ont fait souffrir inutilement. Sans cela, nous aurions pu employer ses dernières semaines à revisiter sa vie, ensemble. Elle aurait aimé cela, et cela m'aurait aidé, moi aussi. Au lieu de quoi les choses se sont passées de façon bien différente, et je n'aime pas me le rappeler. Avoir accepté ces opérations occupe la première place sur ma liste et, de temps à autre, il m'arrive de boire un peu trop de vin et de revenir sur cette décision, ce qui ne m'avance à rien.

Néanmoins, l'une des rares consolations de l'âge mûr, c'est que ma liste n'avait guère changé ces cinq dernières années. Même si maintenant je me demandais si mon empressement à découvrir ce qui était arrivé à Roger Corbett n'était pas en train de devenir l'une des choses les plus stupides que j'aie faites depuis un certain temps. Et j'avais peut-être accepté cette mission parce que ma vie était devenue incroyablement prévisible. Oui. *Admets-le*, me disais-je, *ta vie est d'un ennui mortel, George, et tu as accepté cette mission en espérant qu'elle te ferait vivre quelque chose d'inattendu.*

Que devais-je faire ensuite, transporter les cartons ailleurs ? Étant donné qu'Eliska ne savait pas où ils se trouvaient, ça ne changerait pas grand-chose. Je pourrais mettre la mère malade de Roger dans la confidence, ou son ex-femme, Valerie, mais ça ne ferait que les placer sur la liste des gens qui connaissaient l'existence de ces cartons, ce qui n'était pas sans danger, et on pourrait m'obliger à les identifier. Je pouvais, il est vrai, m'en remettre aux autorités, notamment aux contacts de ma femme au ministère de la Justice, mais cela risquait de créer un dangereux imbroglio. Le FBI ou la police de New York pourraient me pousser à collaborer pour piéger quelqu'un, puis à témoigner dans l'enceinte d'un tribunal. Je serais alors moi-même obligé de prendre le conseil d'un avocat. Mon nom serait cité dans une affaire mettant en scène non seulement un homme tué par un camion-benne et un mystérieux mannequin tchèque mais également une fortune cachée dans un garde-meuble de Manhattan. Sans oublier quelques mafieux russes. Du pain bénit pour les tabloïds ! Mon cabinet verrait cette publicité d'un très mauvais œil, et devrait sans doute répondre aux demandes d'éclaircissements inquiètes de notre unique client, la compagnie d'assurances européenne. Encore pire, ma femme finirait par devoir expliquer mon implication à ses supérieurs à la banque, voire se soumettre à une inspection minutieuse de nos comptes. Pas bon. Non, mieux valait chercher la solution élégante, celle qui me tirerait d'affaire pour de bon, rapidement et proprement.

J'étais en train de retourner tout ça dans ma tête un soir en regardant un match des Yankees avec le son coupé et la radio allumée. Je préfère écouter John Sterling commenter le match sur WCBS-AM, malgré son côté affreusement caricatural. Ma femme me vit regarder par la fenêtre, indifférent au match.

— George, à quoi penses-tu ?

L'intuition de cette femme a un côté effrayant.

— À pas grand-chose, au prix du riz en Chine, ce genre de truc.

Carol attendit de voir si j'allais ajouter quelque chose, mais comme je restais coi, elle reporta son attention sur le match.

Le lendemain matin, aussitôt arrivé au travail, je demandai à notre juriste stagiaire, Ethan Randolph, de venir dans mon bureau. C'était un grand gaillard, très vif d'esprit, que nous serions bien avisés d'embaucher après son diplôme, après nous être débarrassés de quelques cinglés et feignants, voire des associés aigris qui ont cessé d'être productifs de sorte que le cabinet puisse y gagner un peu à tous les échelons.

Ethan travaille dur et c'est quelqu'un qu'on apprécie d'emblée – le genre de jeune homme à qui l'on a envie de donner un coup de pouce. Je lui dis que j'avais un petit travail de recherche à lui confier.

« Le rhodium, dis-je. Qu'est-ce que c'est, qui en a, pourquoi est-ce aussi cher ? N'y mettez pas les formes, je veux un mémo d'une page. »

À midi, je m'éclipsai en disant à Laura, mon assistante, que j'avais rendez-vous chez le médecin. Elle a vingt-neuf ans, l'âge de la terrifiante indécision : son petit ami ne paraît pas tenté par le mariage, ce qui la tracasse, et ne mérite pas particulièrement qu'on l'épouse, ce qui la tracasse encore davantage. Je me suis laissé dire par mes espions qu'elle profitait du fait que je n'étais pas là pour se lancer dans des discussions complexes sur son problème de petit copain avec ses amies au téléphone et par e-mail simultanément. Tout ça pour dire qu'elle ne se rendrait pas compte de mon absence… ce qui était tant mieux quand on savait à qui j'allais rendre visite.

J'ignore au juste pourquoi Staten Island a mauvaise réputation ; peut-être parce que deux générations de New-Yorkais en partance pour la côte du New Jersey en été empruntaient la 440 jusqu'à l'Outerbridge pour éviter le péage et passaient ainsi devant la tristement célèbre décharge de Fresh Kills, qui continue à puer des années après que la municipalité l'a fermée. Encore aujourd'hui, les habitants de Staten Island sont considérés comme désespérément provinciaux, repliés sur eux-mêmes et bas du front. Cette attitude m'a toujours amusé, parce qu'il y a beaucoup de fortunes discrètes et intelligemment gagnées à Staten Island.

Après avoir franchi le Verrazano Bridge, je quittai la 278 à la sortie 12, tournant à gauche au niveau du tunnel pour rejoindre Todt Hill Road. La route grimpe en lacet au milieu des bois, le prix et la taille des maisons augmentant à mesure. Si vous avez envie de vivre dans un manoir de six cent cinquante mètres carrés sous de grands arbres et vous prétendre néanmoins new-yorkais, les maisons situées en retrait de Todt Hill Road constituent une bonne option. Plus que des manoirs, ce sont de véritables forteresses construites généralement en pierre ou en brique, massives, imposantes, et censées protéger leurs occupants, comme mon ami Anthony G.

Anthony a fait plusieurs fois fortune : dans l'entreprise paternelle de fuel domestique (après avoir éliminé la concurrence à Brooklyn et dans le Queens, accroissant ainsi sa part de marché), dans la livraison de béton par toupie (en soumissionnant habilement pour les gros chantiers de construction de Manhattan), et dans la vente de vitrage en gros (après avoir échappé aux mises en examen des années 90). Dans les années 70, alors qu'il n'était qu'un petit gros de Staten Island arrogant, lui et moi étions allés en colonie de vacances au sud de Binghamton. J'avais été son seul vrai copain cet été-là. Et notre amitié dure, en dépit de ses divers tracas judiciaires. Nous déjeunons ensemble tous les ans ou tous les deux ans. On ne parle jamais boulot, mais de nos femmes, de nos enfants et de nos parents.

Arrivé à cinquante mètres de la propriété d'Anthony, je stoppai la voiture et consultai mon BlackBerry. Le rapport d'Ethan m'attendait.

Le rhodium (Rh) est un métal précieux d'une grande rareté, appartenant au groupe du platine. Il est utilisé dans l'industrie et en joaillerie. Extrêmement résistant à l'oxydation et à la corrosion. Exploité en tant que minerai principal en Afrique du Sud (de loin le plus gros producteur en nombre de tonnes), et au Canada et en Russie en tant que dérivé du nickel. Important gisement dans le Montana. Le secteur automobile absorbe 85 % de la production, principalement pour la fabrication de pots catalytiques. La consommation exponentielle de voitures en Chine et en Inde lui assure une valeur durable. Le rhodium est si précieux que des catalyseurs usagés sont couramment vendus sur eBay. Ces pièces sont collectées dans le monde entier et la plupart sont recyclées en Afrique du Sud. L'exploitation minière et l'extraction par fusion de ce métal sont hautement toxiques pour l'environnement. Le secteur de la récupération est fragmenté et très concurrentiel au niveau local mais l'achat et le recyclage sont concentrés dans les mains de quelques acteurs internationaux. Le cours du rhodium est relativement indépendant de celui de l'or et des autres métaux précieux, et même des cycles de production automobile. Des débouchés dans les technologies médicales sont à envisager, par exemple dans la filtration des gaz du sang. Demandes très confidentielles de la part des services de recherche et développement de grands groupes pharmaceutiques. Affinage coûteux, demande toujours forte. Malgré la domination des grands acteurs internationaux, des acteurs plus modestes veulent entrer sur ce marché. Quelques preuves de recyclage sauvage en Russie et dans divers pays asiatiques. Au niveau local, échanges d'opium brut contre des déchets de rhodium découverts par la CIA en Afghanistan en 2006. Déchets de rhodium échangés contre des AK-47 en Somalie en 2007. Des trafiquants de diamants illégaux en possession de perles de rhodium, Interpol 2005. La contrebande est en augmentation parce que le métal est fongible à l'échelle internationale ; partout où les voitures sont récupérées, le rhodium a une valeur à la revente. Peut être associé à d'autres métaux à des fins de dissimulation. En Afrique du Sud, les mines riches en rhodium sont surveillées par des gardes armés. Dernièrement, le cours a atteint 9 400 dollars l'once.

Je fixai l'écran, nauséeux. Derrière les individus qui voulaient récupérer ces cartons d'objets en métal, il y avait une demande internationale effrénée.

La maison d'Anthony est invisible de la rue. Son allée passe derrière de hautes haies de thuyas et débouche sur une cour pavée. Je m'y garai et attendis, comme il m'avait demandé de le faire quand je l'avais eu au téléphone. À côté du garage, une porte s'ouvrit, et un jeune homme en sortit.

— C'est vous, George Young ?

J'opinai.

— Vous pouvez le prouver ?

C'est pour cela que j'avais mon passeport dans ma poche de poitrine. Il l'inspecta, me regarda, l'inspecta de nouveau.

— J'ai vieilli, précisai-je.

Pas même un sourire.

— Laissez les clés sur le contact.

Je sortis de voiture et il me fouilla sans dire un mot. Ce n'était pas agréable. Il trouva mon BlackBerry.

— M. Anthony préfère que les portables et autres appareils électroniques restent dans la voiture.

— Ce n'est pas un problème.
— Éteignez-le.
— Ce n'est pas un problème non plus.
— Pas d'autres appareils dans la voiture ?
— Non.
— Vous en êtes sûr ?
— Est-ce que je vous mentirais ?
Il aurait pu sourire mais ne le fit pas.

Je le suivis dans le garage, puis dans un couloir sans charme qui ouvrait sur une gigantesque cuisine. Carrelage toscan, fourneaux à gaz en acier brossé, la totale. Une femme âgée, les cheveux ramenés en chignon, coupait des tomates. Ça sentait le basilic et le fromage.

On me conduisit sur la terrasse. Assis sur une chaise longue en teck, Anthony lisait le *Wall Street Journal*, et avant qu'il ait tourné la tête je vis qu'il avait pris un coup de vieux ; il était élégant, riche, prudent, et plus en sécurité qu'il ne l'avait jamais été auparavant, ce qui, dans son cas, signifiait beaucoup.

— Ah, George, c'est gentil de passer me voir.
Je souris, lui serrai la main.
— Merci de me recevoir, Anthony.
Nous allâmes nous promener dans les bois, et je lui expliquai la situation : Roger Corbett, Eliska Sedlacek, les objets en métal qu'elle avait introduits dans le pays, le meurtre de son petit ami, la fois où j'avais été pris en filature dans mon taxi, le fait que le téléphone de Roger soit toujours en service, et, enfin, la valeur considérable du rhodium.
— Je commence à avoir l'impression de m'être mis dans le pétrin, conclus-je.

Anthony approuva d'un hochement de tête. Le pétrin, il connaissait, et il s'en était sorti plus souvent qu'à son tour.

— Eux, c'est le rhodium qu'ils veulent, dit-il, et, tôt ou tard, ils viendront le récupérer. Mais toi, qu'est-ce que tu veux d'eux ?

— Je veux qu'ils me foutent la paix, à moi et à mes descendants pendant les cinq cents prochaines années.

— Ça va sans dire.

— Et l'autre chose que je veux n'a aucune valeur pour eux.

Je lui parlai de la facture de portable de Roger Corbett sur laquelle se trouvait le numéro du dernier appel qu'il avait passé.

— Qu'est-ce qui te fait croire qu'ils l'ont ?

— Je t'ai dit que la ligne n'était toujours pas hors service. Son ex-femme ne sait pas vraiment où sont passées les factures. Elle n'a pas fait attention. Son courrier et le reste, tout a été mélangé avec les affaires de la petite amie, qui est liée à ces types d'une manière ou d'une autre. Quelque chose la rend nerveuse. Quelqu'un paie la facture pour que le téléphone de Roger continue à fonctionner.

— Il peut donc avoir une valeur à leurs yeux, observa Anthony. Ça veut peut-être dire qu'ils l'utilisent. Ce qui, d'une certaine manière, peut les compromettre.

— Mais Roger Corbett avait son téléphone sur lui quand il a été tué. Même si, pour autant que je sache, on ne l'a jamais retrouvé sur les lieux de l'accident.

Anthony secoua la tête.

— Si les ambulanciers ou les flics l'avaient trouvé sur lui, ils l'auraient restitué. Si le téléphone est tombé, il a pu être écrasé par une voiture, ramassé par un type de la voirie, n'importe quoi. Quelqu'un l'a peut-être ramassé, s'en est servi jusqu'à ce que la batterie soit morte et l'a balancé. Mais ça n'aurait pas arrêté ces types, ils ont pu s'en procurer un autre… ce n'est pas sorcier, s'ils ont une facture. Et s'ils utilisent le téléphone, ils ne voudront pas te donner de facture.

— Ce n'est pas n'importe quelle facture que je veux, je veux celle où apparaît le dernier appel que Corbett a passé avant de mourir.

— C'est tout ce que tu veux, ce bout de papier ? Tu ne veux pas le rhodium ?

— Bien sûr que si, mais il n'est pas à moi.

Anthony secoua de nouveau la tête. Je voyais bien qu'il n'aimait pas le côté embrouillé et mal défini de la situation, cet amas de conjectures.

— Tu sais, George, la situation est plus compliquée que tu ne le crois. Il faut que j'y réfléchisse. Que je l'envisage de leur point de vue. Ils savent que tu n'as rien à voir dans ce trafic. Que tu n'es qu'un imbécile qui est tombé là-dessus par hasard. Mais dis-toi bien qu'un de ces types n'arrête pas d'y penser. Il se dit : « Ce George Young est un imbécile, il a la clé qui conduit à un gros paquet de fric, il ne le sait pas lui-même si ça se trouve. Comment obtenir de lui ce que nous voulons ? » Ce type y pense constamment, George. Il est comme moi. Il rumine le truc. Il va se débrouiller pour savoir où tu habites, ce que tu fais, quel est ton numéro de téléphone. Il a déjà peut-être pris ses renseignements, il sait que ta femme est en relation avec les autorités.

Il ne veut pas mettre les pieds là-dedans. Il préférerait ne pas se compliquer la vie, que tu te prennes toi-même dans leurs filets.

Je hochai la tête d'un air malheureux.

— La Tchèque, est-ce qu'elle sait que les décorations de Noël sont en rhodium, qu'elles valent dans les huit, neuf mille dollars l'once ?

— Elle se doute qu'elles ont de la valeur, parce qu'elle les a passées en fraude, mais de là à savoir ce que c'est exactement... Cependant, elle pourrait les faire analyser, ce n'est pas bien compliqué.

Nous gravîmes le sentier qui conduisait vers la maison d'Anthony. Nos pieds dispersaient les feuilles mortes.

— Anthony, qu'est-ce que tu ferais si tu cherchais à récupérer plusieurs dizaines de kilos de rhodium volés ?

— Et que tu sois mon voleur ? Je trouverais ton point faible, et puis je te mettrais la main dessus et je t'obligerais à aller me chercher ces cartons. Ce serait plié en quelques heures. Tu apportes les cartons là où on ne peut pas me repérer, je les récupère, et puis je te fais disparaître.

— Qu'est-ce que tu entends par « faire disparaître » ?

— Je te menace de telle manière que tu n'iras jamais en parler à personne.

— Ce ne serait pas moins risqué de m'enterrer quelque part à la sauvette ?

— Pas vraiment. Tu es avocat, ta femme est responsable de la conformité et de la sécurité financières dans une banque, vous avez des relations. Une enquête serait certainement ouverte. Ils veulent éviter ça. D'ailleurs, une fois qu'ils auront récupéré le rhodium, ils peuvent sortir du pays rapidement. Ils veulent avoir les cartons et prendre l'avion le jour même.

Nous retournâmes sur la terrasse.

Anthony tenait la solution à présent. Je le voyais dans ses yeux.

— Voilà ce que tu vas faire, George. Ce qu'il te faut, c'est le truc qui change la donne, l'action inattendue qui redistribue toutes les cartes. Tu appelles cette Tchèque et tu lui donnes les cartons de décorations, comme si tu n'avais aucune idée de leur valeur, et après tu te prends de petites vacances. Tu lui dis que tu pars sur la côte du New Jersey, quelque part, et, au lieu de ça, tu te mets au vert une semaine ou deux en Nouvelle-Écosse ou ailleurs. Comme ça, tout le monde a le temps de faire ce qu'il a à faire et de quitter le pays, et tout le monde se dit que tu étais un crétin.

— Alors si je joue au crétin, ils me laisseront tranquille ?

— Non, si tu joues au crétin de génie.

— Et pour la facture ?

— Oublie la facture.

— Mais je ne veux pas l'oublier.

— Ce n'est qu'une facture de portable.

Il me regarda, puis pointa le doigt sur sa tête.

— Sois un crétin de génie, pas un crétin tout court.

Nous nous dîmes au revoir. On me raccompagna à ma voiture. Elle avait été lavée.

La circulation était dense sur la 278 en direction de Brooklyn. Jouer au crétin de génie m'apparaissait à présent comme une idée lumineuse. Assis au volant, je composai le numéro d'Eliska Sedlacek. Je lui dirais que je lui rapporterais les cartons le lendemain, sans poser de questions. Je ne ferais même pas mention de la facture de portable de Roger Corbett. Bonjour et adieu.

La sonnerie se fit entendre, puis la messagerie se déclencha : « C'est Eliska. Je suis en déplacement professionnel. Laissez votre message, s'il vous plaît. »

Je raccrochai. Elle pouvait avoir quitté les États-Unis. La circulation devint plus fluide, et je me retrouvai bientôt sur le Verrazano Bridge, de retour à Brooklyn. Ensuite, j'appelai le Blue Curtain Lounge. Le barman avec qui j'avais bavardé avait peut-être déjà pris son service, même s'il était encore tôt. J'appelai. Il décrocha, et je reconnus sa voix.

— Vous vous souvenez de moi ? Je vous ai donné ma carte.

— Ouais, bien sûr, vous êtes le type qui m'a baptisé Mort.

Je lui demandai de me rappeler immédiatement s'il voyait le mannequin tchèque.

— D'accord, dit-il en riant.

— Qu'est-ce qu'il y a de drôle ?

— Je vous avais bien dit que cette fille était du genre à vous attirer des ennuis.

— Eh bien, vous aviez raison, concédai-je, alors que les cimes de Manhattan se perdaient dans la brume, sur ma gauche. Plus que vous ne l'imaginez.

9

Les fêtards

J'étais angoissé, et quand je suis angoissé, je n'arrive pas à dormir. Je cogite, j'entends ma femme ronfler doucement (ah, les compromis que les couples mariés sont amenés à faire au fil des années), j'entends la rumeur de la circulation sur West End Avenue. Je me lève et j'arpente le salon, sans rien faire en particulier ; je feuillette le journal, mange sans faim un bol de céréales, lis les scores des matchs joués à l'extérieur sur Internet. Une détresse stupide. Mais là, j'en étais arrivé à un point où mon angoisse ne me lâchait pas, réduisant mes nuits à quelques heures de mauvais sommeil. J'avais essayé les bouchons d'oreille et les somnifères sans ordonnance, mais ils ne m'avaient pas été d'un grand secours. Tôt ou tard, me disais-je, les types qui avaient menacé Eliska Sedlacek me retrouveraient et exigeraient que je leur fournisse cinq cartons de babioles en rhodium. Mais comme elle était injoignable, j'étais dans l'impossibilité d'agir, je n'avais aucun moyen de jouer au crétin génial.

Le lundi suivant, je parlais au téléphone à notre avocat de Tallahassee, en Floride, à propos de cette affaire de yacht probablement coulé par son propriétaire lorsque Anna Hewes frappa à ma porte.

— Mme Corbett désire vous parler.

C'était Anna qui, pour partie, m'avait fourré dans ce merdier, et je me montrai un peu cassant avec elle :

— Dites-lui que je la rappellerai.

— Je crois que vous n'avez pas compris. Elle est ici, à la réception.

— Ce n'est vraiment pas le… Faites-la entrer.

Ce que fit Anna, en fauteuil roulant et accompagnée d'une infirmière, qui installa la malade, puis sortit du bureau. Mme Corbett s'était maquillée et avait sorti ses perles pour l'occasion. Elle paraissait impatiente, les mains agrippées aux accoudoirs de son fauteuil.

— Pour une surprise…

Je me levai de mon bureau et lui serrai la main. Elle était froide. Elle me considéra d'un air excédé, comme si je l'avais fait attendre.

— J'ai estimé que je devais vous voir, monsieur Young.

Sa voix était un peu haletante et ses chevilles encore plus gonflées qu'auparavant.

— J'aurais été ravi de vous avoir au téléphone, dis-je, si vous aviez appelé.

Elle agita une main osseuse en direction du couloir.

— Je vois qu'on a réorganisé le bureau de mon mari.

— En effet, nous avons refait tout l'étage il y a quelques années.

Mme Corbett aperçut la photo de ma femme et de ma fille sur mon bureau.

— On dirait que vous menez une vie heureuse, George.

— Madame Corbett, s'il vous plaît, dites-moi ce qui vous amène.

— Les médecins continuent à me faire attendre pour mon opération du cœur. Mais ils pourraient m'appeler à n'importe quel moment. Je veux savoir ce que vous avez appris sur Roger. Cela fait des semaines que j'attends, monsieur Young.

Que pouvais-je lui dire ? Pas grand-chose, décidai-je.

— J'ai rencontré le détective privé, qui m'a donné le nom du concierge de l'immeuble où habitait votre fils. Il m'a parlé de la petite amie de Roger.

Mme Corbett battit des pieds dans son fauteuil roulant.

— Il n'avait pas de petite amie. Pas Roger. Il était encore très amoureux de Valerie.

Cette question ne méritait pas d'être débattue.

— Il semblerait que la carrière de Roger soit devenue… eh bien, un peu agitée à l'approche de la cinquantaine, comme c'est le cas pour beaucoup de gens.

— Voilà qui est gentiment dit, rétorqua-t-elle.

— J'essayais effectivement d'être gentil.

Mme Corbett me dévisagea avec irritation.

— Roger est devenu trop ambitieux. Il avait une existence de rêve, une maison en bord de mer à Mamaroneck. Je crois qu'il entraînait l'équipe de son fils. Mais ça n'a pas grand rapport avec le soir où il est mort.

Je n'avais pas le temps pour cette conversation.

— Bon, je sais qu'il était dans ce bar et qu'il attendait de passer un coup de téléphone. Le barman se souvient de l'avoir vu téléphoner et noter quelque chose. J'essaie de mettre la main sur sa facture de téléphone, qui m'en dira davantage. En attendant, j'ai parlé à certaines personnes que Roger...

Mais Mme Corbett n'écoutait pas.

— Je vais très bientôt subir cette opération, monsieur Young, et j'ai besoin de quelque chose à quoi me raccrocher avant l'anesthésie.

Elle me jeta un regard féroce, devinant que je ne lui disais pas tout.

— C'est à mon mari que vous devez votre carrière ici, c'est lui qui vous a sorti de je ne sais quel poste minable dans le Queens quand...

— Et je lui en suis très reconnaissant, l'interrompis-je. J'ai essayé de...

— J'exige que vous me trouviez une réponse avant que je ne...

L'infirmière reparut, peut-être alertée par la voix stridente de sa malade. Elle se pencha pour murmurer quelque chose à l'oreille de Mme Corbett, qui secoua la tête.

— D'accord, dès que j'aurai fini de dire ce que j'ai à dire.

Elle leva les yeux sur moi.

— Vous n'avez donc rien appris, rien du tout ?

— Je vous ai dit qu'il avait une petite amie, mais vous ne m'avez pas cru.

Elle fit une moue dégoûtée.

— Il se peut qu'une femme ait offert ses *charmes* à mon fils, mais je doute que cela ait compté pour lui. Il se sentait seul, c'est tout. Elle a probablement cru qu'il avait de l'argent. Mais ce n'était pas le cas, puisqu'il a donné jusqu'à son dernier sou à sa femme et à ses enfants.

— Après qu'ils ont vendu la maison de Mamaroneck ?

— Dans le cadre du divorce, oui.

— Saviez-vous que votre fils avait contacté Charlie Weaver, le vieil ami de votre mari ?

— Non, je l'ignorais, répondit-elle avec plus d'intérêt.

— Il vit à Floral Park. Il était le colocataire de votre mari du temps de leur jeunesse. Je suppose que Roger lui a posé des questions très personnelles concernant M. Corbett…

Je devais faire preuve de tact, ignorant si elle connaissait l'infidélité de son mari et l'existence de l'enfant conçu hors mariage, selon les dires de Weaver.

— Et je pense que votre fils a obtenu des réponses auxquelles il ne s'attendait pas.

Mme Corbett se mordit les lèvres une ou deux fois, comme si elle voulait dire quelque chose mais s'en sentait incapable.

— Votre mari avait-il des secrets qui auraient pu bouleverser Roger ? lui demandai-je frontalement.

— Il avait peut-être des secrets, comme n'importe qui d'autre, biaisa-t-elle, mais franchement, ce n'est pas mon mari qui m'intéresse, monsieur Young… c'est mon fils, Roger… Il me manque terriblement. (À ces mots, un affreux sanglot étrangla sa gorge encombrée.) Je veux simplement savoir ce qui s'est passé. S'il vous plaît, il ne me reste plus beaucoup de temps. *S'il vous plaît.*

Elle parut soudain épuisée par cette déclaration et s'affaissa dans son fauteuil, les yeux baissés. D'un signe de tête, l'infirmière me fit comprendre que mon entretien avec Mme Corbett était terminé et elle poussa son fauteuil hors de la pièce.

M'étant rassis à mon bureau, je fixai d'un œil vague les papiers qui y étaient étalés. Pourquoi la vie était-elle si compliquée ? Pourquoi avais-je l'impression d'avoir déçu Mme Corbett, et que pouvais-je faire au juste pour me racheter ?

Ce soir-là, j'étais en train de me brosser les dents avant de me mettre au lit quand le téléphone sonna. Ma femme répondit, puis m'appela. C'était le barman du Blue Curtain Lounge.

— Quoi de neuf ?

— La fille bizarre, le mannequin, elle est là. Ses copines et elles vont à une soirée dans l'Uptown. Vous m'aviez demandé d'appeler si je la voyais.

Je le remerciai.

— Elles ont dit où avait lieu cette soirée ?

— Pas exactement, mais ça doit être quelque part au croisement de la 109ᵉ et de Lexington.

— Elles sont déjà parties ?

— Elles sont en train de mettre les voiles, elles vont prendre un taxi, je pense.

Je me rendis compte que je pouvais y être avant elles.

— Vous êtes sûr ?

— Pas à cent pour cent, mais presque.

Je raccrochai et jetai un coup d'œil à ma montre. Onze heures et quelques. Pour aller d'Elizabeth

Street au carrefour de la 109e et de Lex, un taxi prendrait sans doute par la Troisième Avenue. Même si tous les feux étaient au vert, il y en avait pour un quart d'heure. Je pouvais marcher jusqu'à Broadway et y être bien plus vite, en passant par Central Park au niveau de la 96e, puis en remontant Madison jusqu'à la 110e et, enfin, en prenant à droite sur Lexington. Même si elles marchaient vers l'ouest pour prendre la ligne 6 du métro, ce qui serait plus facile, elles descendraient à la station de la 110e. Et là aussi, je pouvais faire mieux.

Cela faisait environ une semaine que j'essayais de joindre Eliska et qu'elle ne répondait pas à mes messages. Peut-être m'évitait-elle. Eh bien, elle ne le pourrait pas cette fois. J'en avais marre d'attendre que quelque chose se passe.

— Je sors, annonçai-je à Carol.

— Pourquoi ?

— C'est pour cette histoire avec Mme Corbett.

— Tu plaisantes, là ?

J'enfilai mes chaussures, ou plutôt celles de Roger.

— En fait non, je ne plaisante pas.

— Ça te dérangerait de me dire de quoi il s'agit ?

Je regardai ma montre. Je devais présumer qu'Eliska et ses copines avaient décidé de prendre le métro.

— Je te le dirai quand je rentrerai.

— Et tu rentres quand ? Parce que la dernière fois que tu as filé comme ça, tu t'es absenté pendant des heures et tu es revenu complètement bourré. Tu comptes remettre ça ?

— Je ne sais pas ce que je vais faire.

— Tu t'imagines que ça me fait plaisir ?

— Non, je pense que ça t'énerve profondément. Que ça te rend dingue, même.

— Et alors, ça ne compte pas ?

Carol était en droit d'être furieuse, mais je lui répondis :

— Il faut que j'y aille. Je te fais mes plus plates excuses. Ne m'attends pas surtout.

— C'est vraiment…

Elle me lança son juron habituel. Je ramassai mon portefeuille et mes clés, et me dirigeai vers la porte.

Talonné par Carol.

— C'est tout ? cria-t-elle. Tu te sauves comme un voleur, sans explication ?

— Oui. Désolé.

— Prends un imper, ça va tomber, on dirait.

J'en pris un au vol dans le couloir, et, alors que j'attendais l'ascenseur sur notre palier, je croisai notre voisine, Mme Conaway, qui s'en revenait du vide-ordures sa poubelle vide à la main. Le regard qu'elle me lança laissait entendre que les récriminations de ma femme ne lui avaient pas échappé.

Je marchai jusqu'à Broadway, sautai dans un taxi et mis le cap à l'est. Mon portable sonna. C'était à nouveau le barman.

— J'ai pensé que ça vous intéresserait aussi de savoir que la fille a un sacré coup dans le nez.

— Elles sont parties quand ?

— Hum, il y a peut-être cinq minutes.

— Vous croyez qu'elles ont pu prendre le métro ?

— Je ne sais pas si elle était en état de marcher aussi loin.

Je le remerciai et raccrochai. Puis le téléphone sonna une nouvelle fois.

— Tu étais drôlement pressé, George ! hurla Carol. C'est *mon* imper que tu as pris !

Nous avions les mêmes, en bleu.

Je coupai mon portable. Je me retrouvai rapidement à l'angle de la 109e et de Lexington. Je repérai une épicerie hispanique de laquelle je pouvais observer le carrefour. Ce n'était pas le quartier le plus génial du monde. Une zone de braquages, d'incendies et d'activités illicites diverses. Si vous vouliez ouvrir un commerce dans le coin, votre prime d'assurance prendrait en compte les risques supplémentaires attachés au quartier.

Cinq minutes plus tard, un taxi ralentit sur la 109e, se rangea le long du trottoir et s'arrêta. Trois femmes en sortirent, dont Eliska, qu'on reconnaissait facilement à sa silhouette élancée mais également à ses gants noirs, qui tranchaient avec la pâleur de ses bras sous la lumière des réverbères.

Je les suivis. Le petit groupe s'arrêta à mi-chemin du bloc, consulta un bout de papier, puis entra dans un immeuble. De la musique s'échappait des fenêtres ouvertes quelques étages plus haut et était renvoyée par la façade de l'immeuble d'en face. La pulsation sourde d'une fête. Je restai dix mètres en arrière, me demandant quoi faire. Un autre taxi s'arrêta, et d'autres jeunes gens en sortirent en désordre pour se diriger droit vers la porte. Ils avaient un air suffisant et une allure chic et toc. Puis deux couples tournèrent l'angle et entrèrent à leur tour dans l'immeuble d'un pas assuré.

C'était donc une grosse soirée. Est-ce que j'arriverais à m'incruster ?

*Tu es un vieux type grisonnan*t, me raisonnai-je, *tu vas faire tache*. J'enfilai l'imperméable de ma femme. Il me boudinait. Il y avait quelque chose dans la poche. Ses lunettes de soleil, qu'elle mettait pour se promener sur Riverside Drive. Je retournai sur mes pas et entrai dans l'épicerie.

Des gamins y achetaient des donuts. Ils étaient tous coiffés d'une casquette de base-ball.

— Salut les gars, j'ai besoin de m'acheter une casquette.

— On n'est pas vendeurs.

— J'en offre vingt dollars.

— Jamais de la vie, monsieur.

— Quarante.

Ma surenchère modifia leur attitude. J'avais le choix entre une casquette des Yankees, une des Raiders, et une d'un truc appelé Uptown Diesel Records écrit en lettres rouges. J'optai pour cette dernière.

— Celle-là, elle est plus chère. Soixante, six zéro.

Je payai. J'ajustai la casquette, chaussai les lunettes de soleil de ma femme, et inspectai ma dégaine dans le reflet de la vitrine.

J'étais ridicule. Et pourtant… j'avais mes chances. Je retournai devant la porte qu'Eliska et ses deux copines avaient franchie, sonnai à l'interphone et entrai. Deux armoires à glace étaient postées à l'intérieur, tous les deux au téléphone. Je leur adressai un signe de tête désinvolte.

— Minute.

Je m'arrêtai.

— Vous êtes qui ?

Pas de liste d'invités à l'horizon.

— Je travaille pour la boîte de gestion.

— Quelle boîte de gestion ? interrogea un des colosses.

Je me contentai de lui lancer un regard appuyé derrière mes lunettes branchées et attendis.

— C'est bon, dit-il en désignant la porte.

Je pris l'ascenseur en compagnie de trois autres jeunes femmes et d'un jeune homme bien habillé qui avait récemment investi dans des implants capillaires disposés en rangées identiques. J'évitai de regarder son crâne. Pendant ce temps-là, les filles parlaient des meilleures boutiques de chaussures de Greenwich Village. Elles semblaient tolérer M. Implants capillaires. La cabine s'immobilisa, et nous nous retrouvâmes dans une immense pièce noire de monde. Je n'avais pas mis les pieds dans ce genre de fiesta depuis vingt-cinq ans. Ça sentait la cigarette, l'alcool, peut-être le hasch. Plongée dans la pénombre, la pièce semblait s'étirer à l'infini, avec de la musique qui s'échappait de quelque part, des tables groupées sur les côtés, et plusieurs open bars. Je conservai les lunettes de soleil de ma femme, comme si cela avait la moindre importance.

Je mis plus d'une demi-heure pour localiser Eliska. Elle était assise sur un grand canapé, talons hauts et petite robe verte, une cigarette entre ses doigts gantés, en conversation avec une autre femme. Je l'épiai de côté, en m'assurant qu'elle ne me voyait pas. Quelques mèches folles s'échappaient de ses longs cheveux bruns relevés en chignon. C'était ravissant. Puis je me faufilai derrière elle, assez près pour entendre ce qu'elle disait.

Cela avait un rapport avec Prague, sa scène musicale, ou un truc comme ça. Ensuite il fut question du milieu du mannequinat à Paris, puis à Londres, et d'un certain type de shampoing qu'il était difficile de se procurer si on ne connaissait pas les bonnes personnes. Cette conversation entre deux filles alcoolisées était un chouïa insipide. J'écoutai encore cinq minutes, un peu distrait, quand Eliska prononça ces mots :

— Je retourne là-bas, dès que je peux, peut-être la semaine prochaine j'espère.

— Pourquoi ?

Oui, pourquoi ? Parce que tes petits copains meurent les uns après les autres ?

— C'est ce pays, je croyais je voulais vivre en Amérique, mais c'est trop de stress.

Tu m'étonnes ! Je retirai mes lunettes et fis le tour du canapé.

— Tiens, ça alors, dis-je à Eliska.

Elle me regarda en fronçant le sourcil, et je craignis qu'elle ne se mette en rogne en devinant que je l'avais suivie.

— Monsieur Young ? Vous faites quoi ici ?

— J'espérais vous trouver, dis-je laconiquement.

Eliska sourit d'un air rêveur.

— C'est si drôle tomber sur vous.

Elle était indubitablement soûle.

— Voici mon ami, monsieur Young, dit-elle à son interlocutrice, avant de se retourner vers moi. Je croyais ce serait une bonne soirée, mais je me trompe, je crois. Vous savez…

Elle ramassa son verre par terre, le vida d'un trait, puis me regarda fixement.

— Oui ?

— Votre imperméable il est trop petit.

— En effet.

Elle se leva en chancelant, et, avec ses talons, nos yeux étaient presque à la même hauteur.

— J'en ai assez. Vous voulez bien m'appeler un taxi ?

Nous sortîmes de l'immeuble et marchâmes jusqu'à l'angle de Lexington Avenue. Au bout d'un certain temps, un taxi finit par arriver. J'ouvris la portière. Elle monta à l'intérieur.

— Alors ? demanda Eliska.

— Alors, quoi ?

— Vous ne montez pas ?

Je montai. Elle se pencha en avant et donna au chauffeur son adresse dans Broome Street… la dernière adresse de Roger Corbett.

— C'est bizarre je tombe sur vous à cette soirée, fit-elle remarquer d'un ton songeur, en allumant une autre cigarette et en jetant l'allumette par la vitre. Vous connaissez quelqu'un là-bas ?

— Pas vraiment.

— Moi, je connaissais quelques personnes, cela avait rapport avec un nouveau film, je crois.

Nous n'échangeâmes plus un mot tandis que le taxi filait vers le centre. Par habitude, elle tirait sur ses gants, pour les ajuster. Les odeurs mêlées de son parfum et de sa cigarette emplissaient l'habitacle.

— Bon, écoutez, me lançai-je, il faut que je vous parle de…

— Une minute.

Eliska sortit son portable, pianota sur le clavier, dit quelque chose dans une langue qui ressemblait à du tchèque. Elle parla rapidement, d'une voix animée. Cela me rendit nerveux, ce qu'elle sembla deviner.

— C'est juste amie à moi, elle vient d'arriver et je prends brunch avec elle dimanche.

Est-ce que je croyais à cette histoire ? Peut-être. Il fallait que je lui dise que je lui rapporterais les cartons de babioles en rhodium le lendemain matin sans qu'elle se doute que j'étais au courant de leur immense valeur. Ensuite je la déposerais chez elle avant de retourner illico dans le West Side. Et le lendemain, une fois que je lui aurais remis les cartons, nous n'aurions plus rien à faire l'un avec l'autre, et elle n'aurait plus qu'à livrer la marchandise à qui la voulait. Mais Eliska s'avachit sur la banquette, apparemment sonnée par cette longue soirée alcoolisée, et j'hésitai beaucoup à lui imposer un plan. Dans son état, il y avait fort à parier qu'elle ne garderait aucun souvenir de notre arrangement.

Le taxi s'arrêta dans Broome Street.

— Bon, écoutez, je vous appelle demain matin pour parler…

— Attendez, George, non, on parle maintenant de tout, dit-elle d'une voix pâteuse en ouvrant la portière. Je suis pas trop soûle, je vous jure. Je bois café, et ça ira très bien.

— Vous êtes sûre ?

— Oui, évidemment.

Ses longues jambes émergèrent du taxi.

— Vous ne venez pas à l'intérieur avec moi ?

Je respirai un grand coup. L'heure était tardive, et la situation ambiguë. *Ne va pas te faire des idées*, me dis-je à moi-même. Je me rappelai la caresse de ses doigts sur ma joue, l'impression de m'être retrouvé dans la peau de Roger Corbett. Je me demandai si quelqu'un n'était pas planqué là-haut à m'attendre, celui ou ceux-là mêmes qui l'avaient soi-disant menacée. Et puis il y avait la brève conversation qu'elle venait d'avoir en tchèque au téléphone. *Ne fais pas ça.*

— George ? appela-t-elle. Vous venez ou quoi ?

Je cherchai mon portefeuille pour payer le chauffeur.

— Oui, j'arrive.

10

Le matin d'une longue nuit

Cela ne me dérangeait vraiment pas de monter l'escalier à la suite d'Eliska. « Je suis un *petit peu* soûle, annonça-t-elle d'un ton enjoué. Pas tant que ça, juste un peu. » Elle se retourna pour me regarder, et toute la retenue qu'elle avait affichée jusque-là s'évanouit au profit d'un abandon suggestif libéré par une nuit de musique, de fête et d'alcool. J'avais devant moi l'Eliska que je n'avais encore jamais vue, la femme qui avait fricoté avec un mafieux russe, la femme qui avait consolé Roger Corbett de ses malheurs.

— On y est, dit-elle en haut des marches. C'est ici que vit pauvre mannequin tchèque à New York.

La porte de son appartement était peinte en bleu marine. Elle s'escrima un moment sur la serrure, puis pénétra à l'intérieur. Je la suivis avec hésitation, attendant de voir si nous étions bien seuls.

— Vous avez bu quelque chose à la soirée au moins ? demanda-t-elle.

— Non.

Elle ferma la porte derrière moi, tournant le verrou avec ses mains gantées. Je sentais son parfum.

— Vous voulez verre ?

— Volontiers.

Son appartement était tout petit, deux pièces et une salle de bains. La minuscule cuisine était séparée du salon par une simple table en bois, et je m'assis sur une des deux chaises. Eliska prit une bouteille sur le dessus du réfrigérateur et dénicha des verres.

— L'appartement de Roger était exactement pareil, dit-elle. Juste en dessous. Cet été il montait parfois par échelle de secours (elle désigna la fenêtre).

Ses chaussures étaient soigneusement alignées en dessous : escarpins, ballerines, bottes, chaussures de jogging, sandales à lanières.

Je me trouvais donc dans un lieu identique à celui où Roger avait vécu ; sacrée dégringolade par rapport à sa maison à quatre millions de dollars de Cove Road, dans le quartier d'Orienta de Mamaroneck, avec le doux clapotis du détroit de Long Island d'un côté et un parcours de golf de l'autre.

— Si je suis venu à cette soirée, c'est parce que je vous cherchais, confessai-je.

— Oui, bien sûr je sais ça, répondit Eliska, en posant deux verres sur la table. Je suis pas complètement idiote, vous savez.

— C'est le barman du Blue Curtain Lounge qui m'a dit que vous alliez là-bas.

Elle hocha la tête.

— Il ne m'aime pas, je crois.

— Je vous ai entendue dire à la soirée que vous quittiez les États-Unis ?

— C'est possible.

— Pourquoi ?

Elle s'assit, but une gorgée. Il y avait quelque chose de sinistre à voir quelqu'un tenir un verre avec des gants noirs.

— Oh, j'en ai marre d'ici. Je veux dire, regardez cet appartement.

J'avais du mal à la croire.

— Je continue à penser vous connaissez Roger, dit-elle d'un air pensif. C'est drôle… enfin, bizarre.

— Il vous manque ?

Elle but son verre.

— Je ne sais pas. Je n'arrive pas à dire si je suis encore triste. Je ne l'ai jamais aimé, bien sûr. Ce n'était pas comme ça. Et la vérité, c'est je ne crois pas qu'il m'aimait non plus. J'étais sorte de divertissement pour lui, pas ce mot exactement, mais oui, distraction. Il avait autres préoccupations, trouver un nouveau travail, ses enfants, des choses comme ça.

— Il avait beaucoup de soucis.

— Oui, sa mère, ses enfants, l'argent. On pouvait se montrer honnêtes l'un avec l'autre. Il pouvait se confier à moi, parce qu'il savait je ne faisais pas partie de sa vie, ça m'était égal. Je lui posais beaucoup de questions sur sa femme.

Eliska leva les yeux de son verre et me sourit

— Bon d'accord, je l'admets, elle m'intéresse. Elle disait à Roger qu'elle travaillait dur pour l'aider dans sa carrière et qu'elle avait besoin qu'il gagne plus d'argent. Que c'était important pour elle, plus important qu'elle croyait. Roger, ç'a été un choc pour lui. Ils se disputaient sur ce que ça voulait dire avoir assez d'argent. Moi, ça me fait rire, parce que je viens d'un village tchèque où mon père répare chaussures avec des vieux bouts de pneu. Roger et sa femme n'avaient pas une vie sexuelle heureuse, c'est lui qui me l'a dit. Franchement, ça ne m'a pas surprise, parce que Roger n'était pas très doué pour faire l'amour. C'était un homme très fatigué, je pense. Vidé. Il ne faisait pas exercice. Il avait cinquante et un ans et il avait commencé à renoncer. Les hommes renoncent. C'est ce qu'il me disait. Personne n'en parle, mais c'est la vérité. Il disait en regardant certains hommes, on voit ils ont renoncé. Peut-être vite, peut-être lentement, mais ils ont renoncé. Un matin je l'ai vu regarder les poils gris sur sa poitrine dans la glace. Il disait il avait tout le temps mal aux genoux. Je crois que ce qu'il voulait par-dessus tout, c'est être avec ses enfants.

Les paroles d'Eliska flottèrent un moment dans son petit appartement déprimant, comme si elle ne savait pas encore ce qu'elle allait dire ensuite. Pourtant je sentais que, l'alcool aidant, elle avait besoin de confier à quelqu'un non pas ce que Roger avait traversé mais ce qu'elle-même avait enduré. Et je ne faisais peut-être pas un mauvais public, étant donné l'intérêt que je lui portais.

— Il disait sa femme était une bonne mère et ils avaient bien élevé leurs enfants, continua Eliska. Il me montrait des photos d'eux, et dans ces moments-là, vous savez, il était très triste. Quand il a perdu son dernier travail, sa femme s'est fait mettre implants aux seins sans demander son avis à lui. Ça lui a fait peur, parce que ça voulait dire elle allait le quitter. Elle a fait l'opération quand les enfants étaient en colonie de vacances. Et elle s'est fait refaire les dents, aussi. Il l'a regardée préparer son coup sans rien dire. Il avait de la peine pour elle. De la peine et de la colère, aussi. Il disait il avait emprunté trop d'argent sur la maison et il avait presque tout perdu dans son grand projet Internet. Il s'était fait piéger... Qu'est-ce qu'il disait déjà ? Ah oui, c'était « manie nationale »... et si c'était à refaire, il fait exactement le contraire de tout ce qu'il fait avant. Des fois il pleurait un peu, je vous dis la vérité.

Elle se leva et revint à la table avec un flacon de lotion hydratante, de la vaseline et une boîte de gants en latex transparents.

— Il était pas jaloux de mes autres amants avant lui, et c'était, comment vous dites... un vrai soulagement. On était comme deux étrangers réunis par le hasard. À New York, ce n'est pas comme à Prague, où tout se sait. Personne vous connaît à New York. C'est bonne et mauvaise chose. Les gens se mélangent de façon bizarre, surtout s'ils sont seuls (elle me lança un regard). Je dois dire j'étais un peu seule quand j'ai rencontré Roger. Ça ne me dérange pas ses cheveux gris et qu'il est trop gros. J'ai eu des petits amis très minces et musclés, bien sûr, et je préfère ça, mais Roger était nouvelle expérience pour moi.

Elle ôta ses gants noirs, passa une peau de chamois sur ses mains, puis versa une noisette de lotion blanche dans le creux de sa main gauche et commença à s'en frotter les doigts.

— Il me disait que quand il allait à des entretiens, il devait faire comme s'il avait pas besoin d'un travail comme ça il avait peut-être chance d'être pris.

Qu'un jour il est descendu à la cave, et il a vu que tout le vieux service en porcelaine avait disparu, alors il demande à sa femme où il est passé, et elle répond elle l'a vendu sans lui dire. Je crois ç'a été une grosse surprise, parce que c'était le service de sa mère à lui. Il m'a dit aussi que l'avocat de sa femme, pour le divorce, était une femme qui ne s'occupe que des femmes riches qui vivent près de New York. Jamais des hommes. Il disait sa femme avait un plan, elle a trouvé de nouvelles écoles pour les enfants à San Diego et un logement. Ses parents habitent sur place et elle a commencé à aller là-bas. Il avait donné de l'argent à un détective privé…

— Hicks ?

L'homme que la mère de Corbett avait engagé et qui, à contrecœur, m'avait mis sur la piste d'Eliska, tout en m'avertissant que j'ignorais dans quoi je mettais les pieds. La suite des événements lui avait donné raison.

— Je ne connais pas nom, dit Eliska en continuant à se frotter les mains pour faire pénétrer la lotion.

Ses doigts étaient diaphanes, on les aurait dits faits de cire ou de marbre.

— Il doit découvrir ce que l'épouse faisait et l'a suit dans une grande fête sous une tente à rayures qui avait un rapport avec hôpital, et ensuite il la suit jusqu'à la maison du docteur, il a quatre voitures dans son allée. Roger disait ses enfants ne comprenaient pas pourquoi leur père et leur mère se séparaient, et le soir où ils ont quitté New York en avion, son fils a pleuré et pleuré encore et a donné des coups de poing à sa mère. Roger ne comprenait pas pourquoi sa mère à lui être si gentille avec son ex-femme, peut-être à cause des petits-enfants, il n'était pas sûr. Parfois il pensait il devrait s'installer à San Diego pour être proche des enfants, mais toutes ses relations de travail sont ici, à New York. Je lui demande s'il a eu d'autres petites amies après son divorce, avant moi, et il répond qu'il a perdu confiance amoureuse, c'est comme ça qu'il disait, que j'étais juste cadeau provisoire, et qu'il ne s'attendait pas que je reste avec lui. Il n'était pas, vous savez, en colère pour ça ou quoi, juste… objectif. Roger était très réaliste, je pense. Toutes les deux ou trois semaines, il partait quelques jours à San Diego pour voir ses enfants. Il dormait à l'Holiday Inn. C'était dur pour lui, vous savez, et il m'appelait parfois de là-bas le jour où il devait quitter ses enfants, ça lui faisait de la peine de les laisser, ils pleuraient beaucoup. Il avait pas le droit de passer la nuit dans même maison que son ex-femme, mais une fois, il est allé dans salle de bains et a regardé dans placard à médicaments… comment vous appelez ça ? Ah oui, armoire à pharmacie… et il a été surpris de voir tous les médicaments que sa femme prenait, parce qu'elle essaie de suivre régime très sain. Elle prend des pilules contre l'anxiété, la dépression, des pilules pour dormir et tout ça. C'est trop dangereux mélanger les médicaments comme ça. Ses enfants travaillent bien à l'école, mais il pensait que leur école était moins bonne que celle avant. Son fils aime faire du sport, et il espérait que ça le rendait heureux. Sa petite fille est inscrite dans un club de natation, les dauphins ou les gardons, ou un poisson comme ça, et c'est bonne chose.

À ce moment-là, Eliska versa de la lotion blanche dans la paume de sa main droite et commença à la masser, tout en continuant à dévider son récit, sur un ton presque monocorde, comme si le rituel consistant à s'enduire les mains de lotion était hypnotique et libérait ses souvenirs.

— Il dit sa femme était très inquiète à propos de l'avenir, mais il ne pouvait pas discuter de ça avec elle. Il était content pouvoir encore payer l'école des enfants. Il pensait les parents de sa femme n'étaient pas très heureux qu'elle vive avec eux, même s'ils ont une maison très grande, la mère a problèmes digestion, colites, et le père est un peu sénile, met chaussure dans micro-ondes et la cuisine est noire de fumée. J'ai essayé d'expliquer à Roger ce que c'est grandir dans village près de Prague, mais je pense pas il comprenait. En fait, je pense je comprenais mieux Roger qu'il me comprenait, moi. Mais c'est courant avec les hommes.

» Il disait parfois qu'il se demandait quand sa vie avait mal tourné, et qu'il voudrait pouvoir recommencer de zéro. Il disait il aimait beaucoup son père mais il ne le connaissait pas très bien parce qu'il travaillait trop dur quand Roger était petit garçon. Il disait son père couchait à droite à gauche quand il était plus jeune, et que seul moyen d'en savoir plus était de parler à des gens qui l'avaient connu, s'il arrivait à les retrouver. Il a parlé à des vieux et a appris petites choses, je crois, et puis il a parlé à certaines personnes qui avaient travaillé avec son père. Il a même acheté un vieil annuaire sur eBay pour essayer de retrouver des adresses. Il y avait une femme qui peut-être avait connu son père, mais il n'arrivait pas avoir des preuves. Alors je pense mon ami Roger était dans une sorte de situation terrible dans sa vie, vous savez ? Sa mère était malade et devait se faire opérer du cœur. Elle ne voulait jamais lui parler de son père. Elle est très…, comment on dit, secrète sur le sujet. Elle voulait pas parler de beaucoup de choses. Et puis, bien sûr, il y a eu son divorce. Roger était tombé si loin de son ancienne vie qu'il ne pouvait plus savoir où il en était.

Ayant fini d'hydrater sa main droite, Eliska plongea la gauche dans le grand pot de vaseline.

— Vous voyez maintenant il me racontait beaucoup de choses sur sa vie et je me souviens de tout, toute cette souffrance. Je n'essaie pas de vous cacher quelque chose. Il n'y a plus de vie privée pour lui, et j'espère en vous disant tout ça, je pourrai l'oublier. Je sais je suis beaucoup plus jeune que vous, mais je pense que j'ai vu certaines choses, d'abord, vous savez, en grandissant en République tchèque avec tous les vieux fantômes des guerres et du contrôle soviétique, et puis j'ai été à Paris avec mon petit ami russe et ce qu'il lui est arrivé, et ensuite Roger.

Les deux mains enduites de vaseline, Eliska tira un gant en latex transparent du bout des doigts et l'enfila. Cela faisait un drôle d'effet ; je songeai aux préservatifs et aux médecins effectuant leurs examens rectaux. Elle tira un autre gant, et, bizarrement, le charme fut rompu. Que pouvait-il y avoir de moins naturel que de dormir avec des gants en latex ?

J'avalai mon verre d'un trait. *Maintenant*, pensai-je, *fais-le maintenant.*

— Si vous aviez autant de compassion pour Roger, comment se fait-il que vous ayez stocké ces cartons dans son appartement en sachant que quelqu'un allait peut-être vouloir mettre la main dessus ?

— Parce qu'il m'a dit que je pouvais le faire, c'était OK.

— Avant vous disiez que vous ne lui en aviez pas parlé…

— J'ai peut-être menti.

— Quel autre mensonge m'avez-vous raconté ?

— Aucun.

Sa réponse m'irrita. En général, les petits mensonges camouflent les gros.

— Dites-moi, Eliska, pourquoi le portable de Roger fonctionne-t-il encore ?

Elle consulta sa montre.

— Je sais pas.

— Qui paie la facture ? Qui a besoin du portable d'un mort ?

— Je sais pas.

Je brandis mon propre téléphone, l'allumai et fis défiler le répertoire jusqu'au numéro de Roger, celui que j'avais appelé une fois, tombant sur sa messagerie. Elle vit que j'étais sur le point de le composer.

Elle haussa les épaules.

— George, vous allez me rapporter les cartons ?

Je n'arrivais pas à savoir s'il s'agissait d'une simple question ou s'il fallait y voir autre chose, une menace peut-être. Avais-je été trop agressif avec mes propres questions ?

— Ou peut-être vous avez décidé les garder ?

— Absolument pas, dis-je. Vous les aurez tous demain, c'est ce que j'essaie de vous dire depuis le début de la soirée.

— Vraiment ?

Cette perspective l'anima, et ses mains semblèrent acquérir une vivacité que je ne leur avais encore jamais vue.

— Je peux vous les apporter ici.

— Bien.

— Mais je n'ai pas renoncé à savoir qui avait le portable de Roger, et je vais peut-être le savoir maintenant.

Sur ce, je pressai la touche d'appel de mon téléphone.

J'attendais que le téléphone sonne, et, au même moment, Eliska parut entendre quelque chose et jeta un coup d'œil en direction du couloir, d'où me parvinrent deux bruits : le cliquetis d'une clé dans la serrure de sa porte d'entrée et la sonnerie d'un téléphone. Un homme massif passa la porte, suivi de deux autres inconnus. Il s'immobilisa pour sortir son téléphone de sa poche et actionna le clapet d'un geste sec.

— Allô, oui, dit-il.

J'entendis sa voix en stéréo.

— Allô ? soufflai-je dans mon propre téléphone, momentanément perdu.

Je compris alors que j'avais appelé le portable qu'il tenait à la main. Instinctivement, je me levai.

— Assis ! ordonna l'homme.

Je me tournai vers Eliska. Elle lissait les doigts translucides de ses gants en latex, indifférente, semblait-il, à tout le reste.

Le plus corpulent des trois hommes avait un visage rebondi et intelligent, qui n'était pas sans évoquer celui de Boris Eltsine, en plus jeune et plus brun, des années avant qu'il ne comprenne qu'il n'arriverait jamais à manipuler le KGB. Le torse puissant, dégageant une impression de force tranquille. Il s'adressa à Eliska dans une langue qui me parut être du russe. Sur un haussement d'épaules, la jeune femme se leva et se retira dans sa chambre, fermant la porte avec un petit bruit sec.

— Monsieur Young, dit Eltsine. Il est temps de la discussion. Mon amie Eliska dit vous avez quelque chose qui m'appartient.

— Comme quoi ?

Joue au crétin, me rappelai-je.

— Eliska a petit ami, M. Roger Corbett, et avant qu'il est mort, elle met des cartons qui sont ma propriété dans appartement de lui pour les cacher de moi. Cet homme, il ne savait rien du tout sur ces cartons. Et ensuite lui se faire renverser par camion et sa femme prend tout pour mettre dans local de stockage. C'est ça ?

— Tout à fait exact.

— Eliska dit vous avez moyen spécial d'entrer dans immeuble de stockage.

Je confirmai de la tête, soulagé de ne jamais avoir spécifié à Eliska le nom de la société que la femme de Roger Corbett avait choisie.

— En effet, et comme je viens de le lui dire, je serais ravi d'aller chercher ces cartons pour vous.

Ma bonne volonté le rendit encore plus méfiant.

— Non, vous n'irez pas chercher cartons. Vous nous donnerez emplacement immeuble de stockage et clé spéciale, bien sûr.

— Elle ne vous servirait à rien.

Je lui expliquai qu'il existait une liste de personnes autorisées ainsi que des caméras de surveillance.

Il demeura silencieux, apparemment peu impressionné par mon exposé. Je remarquai qu'il avait une tache noire sur l'ongle du pouce, là où il avait été écrasé.

La sagesse me commandait de la fermer. Mais je ne le fis pas :

— Vous savez, je me demandais pourquoi vous aviez le portable de Corbett. Surtout qu'il l'avait sur lui le soir où il est mort.

Eltsine balaya la question d'un haussement d'épaules.

— Ce n'est pas téléphone original. Eliska connaît son…

Il cria quelque chose en russe, auquel elle répondit de sa chambre.

— Oui, c'est mot de passe que je veux dire, elle le connaît et a eu téléphone de rechange. Je viens de lui emprunter.

Faiblarde, son explication. Finalement, il me vint à l'esprit que si ces hommes voulaient savoir où étaient passées les babioles en rhodium, ils avaient peut-être cherché à savoir à qui Roger Corbett avait téléphoné avant sa mort. Sans le téléphone qu'il avait sur lui, et sa mémoire, ils avaient dû demander les duplicata des factures, découvrant ainsi le numéro de toutes les personnes qu'il avait appelées.

— Quoi qu'il en soit, dis-je, je serais heureux de vous procurer ces cartons.

Eltsine me lança un regard noir. Il était réfractaire à ma géniale idiotie.

— Je vous montre quelque chose, dit-il. Vous regardez, s'il vous plaît.

Il sortit un autre téléphone et pressa quelques touches. Il retourna l'appareil et me le tendit pour me montrer la photo d'une jeune femme debout près d'un minibus, en compagnie d'autres jeunes filles.

— Vous regardez après.

Il pressa une touche, et me montra une autre photo : ma fille, Rachel. On la voyait en train de charger son sac dans le bus qui emmenait son équipe de volley faire une randonnée à Estes Park, Colorado.

Je me jetai sur le téléphone, comme si Rachel y était emprisonnée.

Une main s'abattit violemment sur ma nuque. Quand elle relâcha son étreinte, je m'effondrai sur ma chaise, les deux types plus jeunes postés juste derrière moi à présent. Cela ne faisait aucune différence que je sois avocat, que je connaisse encore des gens dans les bureaux des procureurs du Queens, de Manhattan ou de Brooklyn. Une nausée de panique m'envahit en pensant qu'ils avaient fait quelque chose à Rachel, qu'il était trop tard.

Mais Eltsine était largement en avance sur moi.

— Appelez-la.

Je sortis mon portable, remarquai que j'avais cinq appels manqués de ma femme. Je fis rapidement défiler les numéros jusqu'à celui de Rachel.

— Attendez, dit-il. Montrez-moi.

Je lui montrai le nom sur le minuscule écran : RACHEL.

— C'est bon.

J'appelai, en regardant Eltsine qui m'observait attentivement.

— Allô ? fit une voix ensommeillée. C'est toi, papa ? Il est quelle heure à la maison ?

— Salut, ma puce.

— Il y a un problème ?

— J'avais juste envie de savoir ce que tu faisais.

— Papa, il faut vraiment que je dorme, d'accord ? On se lève hypertôt pour la randonnée, genre à quatre heures et demie.

Eltsine me jeta un regard et sortit un automatique de son blouson. Je sentis l'odeur de l'huile qui avait servi à le nettoyer.

— Je te souhaite une bonne nuit.

— Bon, d'accord, dit-elle d'une voix confuse.

— Je t'aime, ma puce. Bonne nuit.

Je raccrochai.

— Maintenant je vous montre ça, me dit Eltsine en me désignant l'écran de son portable sur lequel passaient des bouts de vidéo. Regardez bien.

Un ciel de montagne, la nuit. L'enseigne du motel d'Estes Park, le minibus de l'université dans lequel les filles avaient fait le trajet ce jour-là.

— Nous avons homme à nous là-bas.

— J'avais compris, dis-je.

— Il fera ce que je dis.

— Je vous ai dit que j'irais chercher les cartons. C'est quoi le problème ?

— Le problème, c'est que risque trop grand, parce que vous savez ce qu'il y a dedans.

— C'est faux. Enfin, j'ai vu des décorations de Noël, quelque chose comme ça.

Eltsine manipula son portable et me montra de nouveau l'écran, où l'on me voyait entrant chez Diamond District Assaying & Smelting sur la 47e Rue.

— Nous savons maintenant que vous êtes menteur, assena Eltsine.

Il avait raison.

— Le garde-meuble est fermé à cette heure. (Dans mon souvenir, il ouvrait à sept heures.) Et puis, il me faut les clés.

— Vous ne les avez pas ?

— Elles sont chez moi.

— Nous vérifions.

Il inspecta ma chemise, mon pantalon, ma ceinture, mes chaussures et mes chaussettes.

— Je suggère d'aller chercher les clés et de vous retrouver plus tard.

— Non. Nous allons avec vous.

Ils se pressèrent contre moi alors que nous nous préparions à partir, histoire de me faire sentir leur présence menaçante. À cet instant, la porte de la chambre s'entrebâilla sur le visage d'Eliska ; elle jeta un regard interrogateur aux hommes, puis à moi, l'extrémité en latex de ses doigts gantés à peine visible, ses grands yeux sombres à quelques centimètres des miens.

C'était la dernière fois que je la voyais.

Dans la rue, les hommes me poussèrent sans ménagement dans une fourgonnette cabossée et prirent la direction du nord. Il était tout juste cinq heures, encore deux heures avant l'ouverture du garde-meuble. Ma fille commencerait sa randonnée à six heures, heure locale, huit heures à New York. Il y avait un coup à tenter, je le sentais, mais je ne savais pas trop lequel. J'avais mal au crâne à cause du manque de sommeil. Nous arrivâmes dans l'Upper West Side. Je me demandai si ma femme m'attendait. Nous nous garâmes en face de mon immeuble.

— Alors quoi, vous ne venez pas avec moi ? demandai-je.

Ils se regardèrent, hésitants, exactement comme je l'espérais.

— Si vous me laissez entrer seul, je pourrais appeler la police.

— Nous allons avec vous, dit l'un d'eux.

— Non ! vociféra Eltsine. Trop de caméras, imbécile !

Il montra du doigt les boules de plexiglas fixées en hauteur aux angles de mon immeuble. Nous étions coincés. Ils avaient besoin que j'aille récupérer les clés, mais ils ne pouvaient pas me laisser entrer dans l'immeuble.

— Je veux quelque chose, dis-je.

— Quoi ?

— La facture de portable de Roger Corbett pour le mois de février. La facture qui couvre le jour de sa mort. Le 5 février.

— Vous ne voyez pas que nous avons trouvé votre fille ?

— Écoutez, vous voulez les clés de ce garde-meuble, et je veux cette facture de portable. Quand vous m'avez obligé à appeler ma fille de l'appartement d'Eliska, votre appel a été géolocalisé. Je suis un spécialiste de la fraude à l'assurance, et nous suivons de très près l'évolution des technologies de triangulation. Vous avez également alerté ma fille, qui se souviendra de cet appel s'il devait m'arriver quelque chose. Les flics ne tarderont pas à trouver Eliska, surtout que je l'avais déjà appelée, et ensuite, ce sera votre tour. (Je marquai une pause.) Alors, il va falloir la jouer selon mes règles, les gars. En plus, ma femme travaille pour l'une des plus grosses banques du monde. Les types chargés de la sécurité dans sa boîte sont des as. Ils doivent gérer les allées et venues de princes saoudiens. Elle a des relations au NYPD, à la Justice, elle connaît des tas de gens.

Eltsine fit la grimace.

— J'écoute.

— C'est simple. Je vais aller vous chercher les cartons. Mais je veux cette facture de portable.

Les autres regardèrent Eltsine.

— Nous faisons votre manière, dit-il.

Je sortis de la fourgonnette. J'avais beaucoup de choses en tête et salement besoin d'un café à présent. J'entrai dans l'immeuble. Le portier de nuit, James, fut surpris de me voir.

— Je ressors très bientôt, et j'aurai besoin d'un diable, lui dis-je. Vous pouvez me trouver ça ?

— Pas de problème, monsieur Young.

Je montai chez moi. Ma femme dormait sur le canapé. Je la laissai dormir, sachant combien elle m'en voudrait si elle se réveillait. Je trouvai les clés du garde-meuble. Après quoi j'appelai Eltsine en composant le numéro de portable de Roger Corbett. Il décrocha mais ne dit rien.

— Je vais me faire un petit déjeuner. J'ai besoin de caféine.

Il m'insulta.

— Je vous rappelle quand j'ai fini.

Œufs au plat et toasts. Je sentais le café m'exciter les neurones. Ensuite j'appelai Laura, mon assistante. Je lui dis que je voulais qu'elle aille au bureau immédiatement. Que je lui passerais un coup de téléphone juste après sept heures et demie et qu'il fallait qu'elle soit sur place. « Bien sûr », répondit-elle, surprise.

Il était presque six heures à présent. J'appelai notre parking, situé à deux blocs d'immeubles de là, où notre Nissan Murano bleue était garée et expliquai que j'étais prêt à payer deux cents dollars pour que quelqu'un l'amène immédiatement devant mon immeuble. Ma proposition les motiva.

— Je vais sortir de l'immeuble en courant, et dès que je serai monté dans la voiture, je veux que le type redémarre le plus vite possible.

— C'est quoi, une sorte de cavale ?

— Oui.

Je raccrochai. Ma femme entra dans la cuisine. Sous la lumière du plafonnier, elle ressemblait à ce qu'elle était : une femme entre deux âges qui avait mal dormi.

— George, qu'est-ce qui se passe ?

— Ce soir, je t'emmène dîner et je t'explique tout.

— On dîne dehors ?

Sa réaction montrait que je ne la sortais décidément pas beaucoup.

— Oui. Va dormir encore une heure.

Elle me regarda en plissant les yeux, puis se dirigea vers la chambre à petits pas.

Je réunis les différents trousseaux de clés, puis redescendis par l'ascenseur. Ma voiture était dehors. Je pris le diable des mains de James et appelai Eltsine.

— Oui ?

— J'arrive dans dix minutes.

— Ou sinon nous venir vous chercher, nous décidons.

— Vous avez la facture de portable ?

— Nous travaillons dessus.

— Dix minutes. Il va vous falloir un fax aussi.

Alors je fonçai vers ma voiture, ouvris le hayon, y jetai le diable, et sautai sur le siège passager.

— Foncez ! criai-je.

L'employé du parking démarra en trombe comme s'il avait regardé trop d'épisodes de *Shérif, fais-moi peur !* Il vira à l'angle de la 9ᵉ. Je lui dis de descendre de la voiture, il s'exécuta avec soulagement, puis je m'installai au volant et tournai à droite, sur Broadway, vers le sud.

À cet instant, mon téléphone sonna.

— Bonne astuce, dit Eltsine.

— Je rappelle bientôt. N'oubliez pas la facture et le fax.

Ils ne me suivaient pas. J'avançai lentement en direction de Lower Manhattan. À sept heures, je me rangeai devant le garde-meuble, et me retrouvai bientôt à l'intérieur, poussant le diable à travers l'étage climatisé. J'ouvris ensuite le local où j'avais préalablement réparti en tas distincts les dernières possessions de Roger Corbett. J'empilai les cinq cartons de babioles en rhodium sur le diable. Ils pesaient une quinzaine de kilos chacun et, sans avoir à faire le calcul, je savais que chaque carton contenait pour presque un million de dollars de rhodium, lequel, une fois fondu, serait mis sur le marché international au prix spot et reparaîtrait sous forme de pièces électroniques spécialisées ou, plus vraisemblablement, dispersé en quantités infinitésimales dans un nombre gigantesque de pots catalytiques. J'allais refermer la porte quand une pensée me traversa l'esprit. Je revins sur mes pas et m'emparai de l'annuaire de 1975 que Roger Corbett avait acheté sur eBay peu avant sa mort. Après quoi je fermai la porte et me dépêchai de rejoindre ma voiture. Je déposai les cartons dans le coffre, l'annuaire et le diable sur la banquette arrière.

Il était sept heures quatorze. Je téléphonai à ma fille.

— Papa ?

— Où es-tu ?

— On a commencé la rando. D'ailleurs, ça m'étonne que le réseau passe ici.

— Où es-tu, exactement ?

— On a fait huit cents mètres environ, dans la montagne.

— Juste toi et ton équipe de volley ?

— Il y a aussi deux moniteurs.

— Grands, costauds, le genre alpiniste ?

Elle pouffa.

— Ouais, c'est ça.

— Si tu regardes en bas, tu vois quelqu'un ?

— Non.

— Bon, je te rappelle ce soir.

Je restai là à réfléchir. Si je remettais les cartons à Eltsine, je ne serais plus en mesure de négocier. Et si j'étais physiquement assez proche pour me faire remettre la facture du portable, ils pourraient prendre les cartons sans me donner la facture. D'où mon coup de fil à Laura pour lui demander de se rendre au bureau.

Mon appel suivant fut pour Eltsine.

— Où êtes-vous ? demanda-t-il.

— En ville.

— Nous avons votre fille à présent.

Je l'accablai d'injures.

— Je viens de lui parler. Elle est avec son groupe sur un sentier de montagne. Elle n'a rien à craindre de vous pendant de nombreuses heures. Votre homme est loin d'eux. Mais devinez quoi ?

— Quoi ? s'enquit Eltsine d'une voix pathétique.

— Cette facture, vous l'avez ?

— Pas moi, quelqu'un d'autre.

Je lui donnai un numéro.

— Faites-la faxer à ce numéro, immédiatement.

J'attendis quelques minutes avant d'appeler Laura. Elle me confirma qu'un fax d'une page d'une facture Verizon venait d'arriver.

— Certains numéros ont été raturés, précisa-t-elle.

— Est-ce qu'il y a un appel sortant daté du 5 février vers une heure et demie du matin ?

— Oui, c'est le dernier à ne pas avoir été effacé.

Elle me lut le numéro, et je le griffonnai à la hâte. Il portait l'indicatif de New York.

— Quand a été passé l'appel suivant ?

— Cinq jours plus tard. Tous les autres numéros sont rayés.

— Et les autres, ils sont tous lisibles ?

— Oui.

Cela signifiait qu'ils savaient précisément à quel moment les appels de Roger avaient cessé et les leurs avaient été effectués.

— Donnez-moi le numéro rattaché à la facture.

Elle le fit. Oui, c'était bien le numéro de portable de Roger Corbett.

Je rappelai Eltsine. Nous nous mîmes d'accord sur un itinéraire. Ils étaient à l'affût dans leur fourgonnette sur la 36e Rue ouest, entre la Huitième et la Septième Avenue. Je fonçai vers le nord, passai devant eux, puis tournai vers le sud sur la Septième.

— Rangez-vous à côté de moi, sur ma gauche, hurlai-je dans le téléphone.

Ils s'exécutèrent, juste devant Macy's. Un des hommes me regardait. Eltsine conduisait.

— Je vais m'arrêter au prochain feu, au niveau de la 33e. J'ouvrirai le coffre et vous viendrez prendre la marchandise.

Avant qu'Eltsine ait eu le temps de protester, le trafic s'immobilisa. J'ouvris le hayon, qui se mit à biper automatiquement. Les Russes n'étaient pas prêts.

— Allez ! criai-je dans le téléphone.

Deux hommes sortirent précipitamment de la fourgonnette, emportèrent deux cartons chacun, et les balancèrent maladroitement par la portière coulissante de leur véhicule restée ouverte.

Le feu passa au vert.

— Magnez-vous !

Les taxis klaxonnèrent furieusement. À cette heure-là, ils transportaient des types de Wall Street qui piaffaient d'impatience à l'idée de regagner leurs bureaux et de plonger dans la frénésie du marché mondial. Je commençai à rouler au pas. L'un des hommes courut derrière la voiture en soufflant comme un bœuf et s'empara du dernier carton. J'appuyai sur la commande de fermeture du hayon, puis jetai un coup d'œil à la fourgonnette cabossée. La portière se refermait sur les hommes et leur chargement. Derrière nous, les taxis klaxonnaient de plus belle. Je laissai la fourgonnette me doubler sur la gauche, virai brusquement sur la droite, passai deux blocs d'immeubles, puis tournai sur la 31e, avant de filer vers l'ouest, libre.

Mon téléphone sonna.

— Nous ne vous voyons plus jamais, vociféra Eltsine, mais si vous faites ennuis, nous faisons ennuis. Nous savons où vous travaillez, où vous vivez, où vous achetez vin, où fille va à l'école, où femme se fait arranger vilains cheveux, où votre mère est enterrée. Si vous prévenez police, nous disons que vous avez reçu argent de nous pour voler les cartons. Et alors, nous….

Je raccrochai. Il avait dit ce qu'il avait à dire.

Je finis par m'arrêter sur un des parkings de Chelsea Piers, à bout de forces. La nuit avait été longue, et la matinée courte et effrénée.

Je regardais à présent le numéro que Laura m'avait donné au téléphone, les dix chiffres que Roger avait lui-même composés très peu de temps avant de mourir.

J'appelai, avec un peu d'appréhension.

— Allô ?

La voix d'une femme âgée, qui ne m'était pas inconnue.

— Madame Corbett ? tentai-je.

— Non, pas du tout, je crains que vous ne fassiez erreur.

— Je connais votre voix.

— Vous vous…

— Anna ? bredouillai-je en reconnaissant la voix d'Anna Hewes. Anna, c'est George Young à l'appareil.

Elle ne répondit pas tout de suite. Mais son hésitation était suffisamment éloquente.

— Je me demandais quand vous appelleriez, dit-elle. Même si je ne le souhaitais pas… pour votre bien.

— Mon bien ?

Aucune réponse.

— Vous attendiez mon appel ?

Toujours rien. Je n'en revenais pas que l'objet de ma quête travaille dans mon propre cabinet. De plus, que pouvait-elle bien savoir ? Pourquoi elle ? Mais je doutais qu'elle me le dise au téléphone. Il faudrait que j'attende d'être au bureau.

— Pour quelle raison Roger Corbett vous a-t-il contactée ? demandai-je néanmoins, percevant la frustration dans ma propre voix.

— Sachez que je ne tiens pas à parler de cela, George, avertit-elle. C'est vous qui m'avez cherchée, pas l'inverse.

— Comme Roger vous avait cherchée ? rétorquai-je.

— Oui, répondit-elle doucement, oui, c'est à peu près cela.

11

Une vie de lettres

Anna m'attendait, assise dans la chaise qui faisait face à mon bureau, les genoux serrés l'un contre l'autre. Elle était vêtue avec élégance, comme toujours, coiffure et maquillage irréprochables. Je hochai la tête sans dire un mot, puis fermai la porte.

— Depuis combien de temps travaillez-vous ici, Anna ? demandai-je.

— Quand M. Corbett m'a embauchée, j'avais vingt-six ans. Cela doit donc faire presque cinquante ans.

Il était inconcevable que qui que ce soit puisse travailler pour le même cabinet aussi longtemps.

— Il a été votre seul employeur ?

Anna hocha la tête.

— Je sais que je ne sers plus à rien. J'étais au mieux de mes capacités vers la cinquantaine, et puis j'ai commencé à avoir de l'arthrose dans les mains.

— Vous ne vous êtes jamais mariée ?

— Brièvement. Ça n'a pas marché.

— Combien de temps avez-vous travaillé pour le vieux Corbett ?

— J'ai été recrutée comme simple secrétaire, mais j'ai eu l'heur de lui plaire, et j'ai gravi les échelons jusqu'à devenir première assistante. J'ai donc été à son service pendant quarante-quatre ans en tout.

— Vous connaissiez donc bien Mme Corbett et la famille ?

— Oh, très bien.

— Et Roger ?

— Bien sûr, il m'envoyait une carte de Noël chaque année.

— Sa mère m'a chargé d'enquêter sur son décès.

— Je savais qu'elle cherchait quelqu'un, acquiesça Anna en hochant la tête. Je lui ai suggéré de faire appel à vous.

— Pourquoi moi ?

— Vous étiez le mieux placé.

Je ne comprenais pas en quoi. Je brandis la photocopie de la facture de portable de Roger avec son numéro dessus.

— Il se trouvait seul dans un bar quelques minutes seulement avant de se faire renverser par ce camion-benne. Il a passé un dernier coup de téléphone, a griffonné quelque chose sur une serviette en papier, puis est sorti dans la rue. Il ne faisait pas attention à la direction qu'il prenait, et en regardant la vidéo de l'accident, on a l'impression qu'il relit ce qu'il a noté sur la serviette. Je pense qu'il vérifiait ce qu'il avait retranscrit de cette conversation téléphonique qu'il a eue avec vous.

Anna restait calme, ses yeux fatigués perdus dans le vide.

— Oui, c'est bien moi que Roger a appelée. Il était tard. J'étais en Alaska où je faisais une croisière avec ma sœur. Il avait déjà appelé, et je lui avais laissé un message lui disant qu'il pouvait me rappeler après le dîner, en oubliant le décalage horaire. Roger avait attendu. Il voulait que je lui révèle le nom de quelqu'un.

J'allais demander qui, mais l'expression de son visage m'en dissuada ; elle clignait les yeux tout en soutenant mon regard. Je devinai qu'elle avait le sentiment d'avoir bien agi et que je devais m'en convaincre, quoi qu'elle puisse me dire.

— Vous savez pourquoi je suis encore employée par ce cabinet ? demanda-t-elle.

La question me surprit.

— Parce que, toutes ces années, vous avez été une employée loyale, je suppose.

— Et que personne n'a eu le courage de me forcer à prendre ma retraite ? compléta Anna en secouant la tête. Allons, George, vous êtes plus perspicace que cela.

Comme je ne réagissais pas, elle poursuivit :

— Le cabinet produit plus d'un million de documents par an.

— Qui sont tous numérisés.

— En effet. Mais le cabinet n'est passé au tout numérique qu'en 1980, à peu près. Avant cette date, tout était sur papier et nous avons décidé de ne pas numériser les documents antérieurs à cette période.

— Vous savez donc ce que contiennent ces vieux papiers ?

— La plupart d'entre eux me sont passés entre les mains. Mais le plus important, c'est que je connais le système de classement qui a été adopté pour les documents papier. Certains d'entre eux sont encore pertinents aujourd'hui. Pas beaucoup, mais quelques-uns.

— Ils sont tous stockés quelque part.

— À Secaucus, dans le New Jersey.

— Cela a un rapport avec l'appel que Roger vous a passé le soir de sa mort ?

— Oui.

— Et… ?

Anna dirigeait la conversation à présent.

— George, je pourrais vous le dire, mais je préfère vous le montrer.

— Nous allons à Secaucus ?

Je demandai à Laura de nous commander une voiture. Nous nous retrouvâmes peu après à l'extérieur, attendant un de ces gros 4 × 4 noirs que les constructeurs américains auraient dû cesser de fabriquer quinze ans auparavant quand ils avaient encore leur chance face aux Japonais. Mais bon, ils sont confortables. Le véhicule arriva, et nous nous installâmes.

— Vous n'avez connu M. Corbett que quand il était bien plus âgé, commença Anna. Après que sa santé avait commencé à décliner.

— Il avait plus de cinquante ans quand j'ai fait sa connaissance.

— C'était une personnalité magnétique. Il a travaillé dur pendant toutes ces années. Quand j'ai commencé, il était très souvent en déplacement. Le cabinet traitait bon nombre d'affaires concernant des accidents ferroviaires. Des wagons de sirop de maïs qui déraillaient, ce genre de chose. M. Corbett était constamment dans l'avion pour Cleveland ou Milwaukee. Nous n'arrivions pas toujours à trouver l'assistance juridique que nous voulions sur place, ou alors il était simplement meilleur marché de traiter directement avec les avocats du plaignant. Il m'est arrivé de l'accompagner, mais la plupart du temps, je restais au bureau. M. Corbett était déjà marié à Diana et avait deux fils, Roger étant le plus jeune.

Notre voiture avait atteint le Lincoln Tunnel.

— Quoi qu'il en soit, M. Corbett devait participer à un procès à Milwaukee ce printemps-là. Nous ne partions pas gagnants. Je crois qu'il s'agissait d'un convoi de porcs qui s'était couché sur la voie. Deux jours durant, ils avaient essayé de les sortir des wagons, il faisait froid, et la plupart des bêtes étaient mortes. Des milliers de porcs. Or l'éleveur avait déjà été arrêté pour avoir provoqué un déraillement. On suspectait donc une fraude à l'assurance. La présence de M. Corbett n'était pas vraiment indispensable, mais comme il tenait à être sur place, je lui avais loué une chambre d'hôtel pour deux semaines.

— C'était en quelle année ?

Anna me jeta un regard.

— Oh, 1960. Peut-être 1961.

Ma mère vivait à Milwaukee à l'époque. Une idée germa à la périphérie de mes pensées, mais je ne dis rien.

— Il a passé un excellent séjour à Milwaukee, et je crois qu'il a gagné son procès. Pourtant, en revenant, il paraissait préoccupé.

La voiture s'était arrêtée devant un gigantesque entrepôt.

— La suite se trouve dans ce bâtiment, m'informa Anna.

Nous nous retrouvâmes peu après dans un local bien éclairé aussi grand qu'un terrain de football ; il était divisé en zones grillagées, chacune d'elles renfermant de hautes étagères métalliques où s'alignaient des boîtes d'archives identiques. Anna sut tout de suite vers où diriger ses pas. Elle déverrouilla la cage marquée au nom du cabinet, s'approcha d'une étagère, trouva une boîte portant la mention CORBETT/PRIVÉ, fouilla à l'intérieur, puis en sortit un dossier jauni qu'elle me tendit.

— La plupart de ces lettres portent ma signature, mais c'est lui qui me les a dictées. J'en ai rédigé quelques-unes moi-même. Vous pouvez prendre ce dossier, George. Je pense qu'il vous appartient de droit.

Je ne me souviens plus du trajet de retour en ville, ni même d'être rentré chez moi ce soir-là, parce que je lisais les lettres. Il y en avait une bonne centaine, les plus anciennes étaient des copies carbone, les plus récentes des photocopies. En voici un échantillon :

Chère madame Young,

Veuillez trouver ci-joint un chèque de 44,20 dollars pour les visites du médecin et les médicaments contre l'otite, comme nous en avons discuté.

Respectueuses salutations,

Anna Hewes

Je remarquai que les lettres portaient l'adresse d'une boîte postale de Grand Central ; à quelques blocs d'immeubles de l'endroit où travaillait ma mère à l'époque, après avoir quitté Milwaukee pour s'installer à New York avec moi, qui n'avais que deux ans, et se marier rapidement avec Peter Young.

Chère madame Young,

Veuillez trouver ci-joint un chèque de 650 dollars libellé directement à l'ordre du jardin d'enfants.
Meilleures salutations,

Anna Hewes

Chère madame Young,

Veuillez trouver ci-joint un chèque de 189 dollars libellé directement à l'ordre de la colonie de vacances.
Meilleures salutations,

Anna Hewes

Chère madame Young,

Nous avons bien reçu la copie du bulletin scolaire que vous nous avez envoyée. Que des A- et des B+, sauf en musique. Pas mal du tout ! Veuillez trouver ci-joint un chèque de 3 025 dollars pour couvrir les frais de scolarité du prochain trimestre. Par ailleurs, je vous contacterai prochainement au sujet des frais d'orthodontie.
Meilleures salutations,

Anna Hewes

Une copie du chèque et la paperasse interne étaient attachées par des trombones à chaque lettre. Le code comptable utilisé était « Deb/PA », qui, je le savais, était l'abréviation de « montant à débiter de la part d'associé ». Ce qui voulait dire que mon éducation, mes colonies de vacances, mes appareils dentaires et le reste, tout cela avait été payé sur le bonus annuel de Wilson Corbett, et non sur son salaire. C'était une manière élégante de payer mes frais ; l'argent que recevait ma mère ne transitait jamais par ses finances personnelles et ne faisait donc pas défaut.

Chère madame Young,

Nous avons appris qu'un travail d'été était proposé au service courrier du siège de Coopers & Lybrand, sur la Sixième Avenue. Le travail n'est pas bien stimulant mais est payé 4,10 dollars, ce qui est un très bon salaire pour un lycéen. Si cette opportunité vous intéresse, veuillez prendre contact avec Mme Penny McManus au service des Ressources humaines.

Meilleures salutations,

Anna Hewes

C'était donc ainsi que j'avais eu ce travail. Ma mère m'avait dit d'aller passer un entretien, auquel je m'étais présenté, les nerfs en pelote, avec trois copies de mon CV soigneusement tapé à la machine. On m'orienta vers le service courrier, où j'eus affaire à un vieil homme voûté appelé Joe. Il était d'une maigreur extrême, à l'exception de ses avant-bras épais et de ses grosses mains, et il fumait cigarette sur cigarette. Il me dit qu'il avait été employé à la poste pendant trente-deux ans. Je lui tendis mon CV inutile avec solennité, et il me dit : « Soulève-moi ce sac, fiston », en désignant un sac postal plein à craquer. « Mets-le sur la table de tri. » Il me regarda faire en se livrant à une analyse ergonomique, les yeux plissés. « Très bien, pointe-toi demain, à huit heures. Tu devras porter une chemise blanche et une cravate tous les jours. Et puis va donc chez le coiffeur. »

Je me présentais à huit heures dans ma chemise blanche amidonnée et ma cravate Woolworth prénouée et amovible, triais les dix ou douze sacs de courrier qui arrivaient à huit heures quinze précises, en les classant par services puis par numéros de bureau. Nous étions trois, et Joe nous apprit à classer le courrier de manière à pouvoir manœuvrer nos chariots efficacement dans les couloirs et avoir terminé à midi. Puis c'était l'heure du déjeuner, consistant en un hot-dog que nous achetions à un vendeur à l'angle de la 50e Rue et de la Sixième Avenue, et que nous mangions tous les trois dehors en regardant passer les femmes et en discutant base-ball. Munson, Piniella, Randolph, Hunter. Les Yankees avaient fait une très bonne saison cette année-là, remportant quatre-vingt-dix-sept matchs. La deuxième livraison arrivait à midi et demi, et nous retournions au travail à douze heures quarante, classant et distribuant le courrier à partir de quinze heures trente. La journée se terminait à dix-sept heures, et, d'habitude, je rentrais à la maison à pied, prenais mon dîner, puis allais voir un film. Je fis ce travail deux étés de suite et mis mon argent de côté.

Chère madame Young,

Nous avons appris avec inquiétude que des jeunes gens avaient été récemment arrêtés à Washington Square Park pour détention de marijuana. Grâce à nos relations amicales au bureau du procureur de Manhattan, les poursuites ont été abandonnées. Même si nous avons conscience que les jeunes gens impliqués n'étaient pas tous coupables de l'infraction, nous devons garder à l'esprit qu'une inscription au casier judiciaire est très difficile à surmonter et peut être préjudiciable à l'avenir d'une jeune personne de façon tout à fait disproportionnée à la faute qui lui est reprochée. Il est donc essentiel que les jeunes gens prometteurs fassent très attention à leurs fréquentations.

Meilleures salutations,

Anna Hewes

Je vois encore le Noir dégingandé en train de murmurer : « Hé, ganja, ganja » sous les arbres du Washington Square Park quand mes trois amis et moi étions passés devant lui ; et même si j'étais trop froussard pour tirer sur le joint que l'un d'eux avait acheté, cela ne me dérangeait pas de rester avec eux en affectant un air détaché pendant que nous regardions un Bob Dylan de pacotille pousser la chansonnette devant la foule massée autour de la fontaine. Quelques minutes plus tard, un flic nous était tombé dessus. J'avais appelé ma mère à son bureau, et, quelques heures plus tard, on m'avait relâché. Je pensais qu'on m'avait libéré parce que je n'avais commis aucun délit et je n'avais jamais vraiment repensé à cet épisode.

Chère madame Young,

Nous avons appris que les progrès stupéfiants de l'informatique miniaturisée permettent l'utilisation de nouveaux « ordinateurs personnels » qu'on peut placer sur un bureau et utiliser à la place des machines à écrire électriques, car ils permettent de corriger les documents écrits avec une plus grande facilité, y compris les devoirs d'étudiant. IBM propose, paraît-il, un excellent modèle, et c'est avec plaisir que nous vous en offrons un. Il vous sera probablement livré en début de semaine prochaine, à temps pour le second semestre, et nous serions ravis de connaître vos impressions sur son utilité.

Sincères salutations,

Anna Hewes

Chère madame Young,

Nous avons appris avec grand plaisir les dernières nouvelles. L'université de Fordham possède une faculté de droit réputée, et nous vous suggérons de prendre contact avec M. Seymour Fisher qui loue des chambres aux étudiants de la faculté. Si cela vous convient, vous pourrez demander à M. Fisher de nous contacter, et nous arrangerons les choses directement avec lui.

Sincères salutations,

Anna Hewes

S'ensuivait une série de chèques mensuels pour la location de ma chambre d'étudiant. Ma mère m'avait dit qu'elle l'avait payée grâce au petit héritage qu'elle avait fait de sa cousine, dont j'ignorais le nom, et je n'y avais jamais repensé, n'ayant aucune raison de soupçonner autre chose.

Puis :

Cher monsieur Segal,

Nous nous sommes laissé dire que vous étiez en train de recruter de nouveaux assistants pour le bureau du procureur du Queens. Il ne fait aucun doute que les candidats à ces postes convoités sont parfaitement qualifiés. Vous nous feriez toutefois une grande faveur en voulant bien porter une attention toute spéciale aux qualifications de M. George Young, un jeune homme de notre connaissance que nous pensons être particulièrement talentueux.

Nous vous demandons toutefois de ne pas lui parler de nos relations, car nous supposons qu'il préférerait largement être jugé sur ses seules réussites et qualifications.

Très sincèrement,

Anna Hewes

Il m'avait aidé à chaque étape du chemin. Je fus pris d'une sorte de nausée, parce que cela signifiait que mes succès, quoique modestes, n'étaient pas uniquement les miens. Et la meilleure preuve en était la dernière lettre du dossier, la seule que j'avais déjà vue auparavant, même si j'avais perdu l'original depuis longtemps :

Cher George Young,

Nous avons appris que les fonctions que vous occupez au bureau du procureur du Queens ne vous avaient peut-être pas donné entière satisfaction. Dans le cas où vous seriez intéressé par de nouvelles perspectives de carrière, vous nous feriez une grande faveur en contactant notre cabinet. Nous sommes une petite structure, extrêmement spécialisée et nous offrons des salaires compétitifs, d'excellents avantages et une atmosphère relativement décontractée. Par ailleurs, le travail est intéressant et les opportunités d'avancement ne manquent pas.

Sincères salutations,

Anna Hewes

Ce soir-là j'emportai le dossier chez moi et le montrai à ma femme. Elle avait perçu le désarroi dans ma voix quand je l'avais appelée du bureau et avait mitonné un dîner de fête, saumon poché et polenta, que nous mangeâmes sur notre terrasse.

— Tu as l'air complètement déboussolé, finit par dire Carol.

— C'était mon père. J'ai travaillé avec lui et je ne le savais pas.

Elle resta là à me dévisager.

— Je lui parlais, je l'écoutais, je travaillais dur pour lui, et j'avais certainement de l'affection pour lui. Mais je n'ai jamais su. Et lui, il savait que je ne savais pas. Rien que ça, c'est bizarre et triste.

— Comment se fait-il que ta mère ne t'ait jamais rien dit ?

— Il faut que je boive une autre bouteille de vin avant d'en arriver là.

— Et donc, pendant ce dernier appel, Roger a demandé à Anna s'il avait un demi-frère ?

Je triturai dans mon assiette.

— Je crois que c'est ce type de Floral Park qui a vendu la mèche.

— Et Anna a donné ton nom à Roger ? C'était ça qu'il était… ?

Oui. Je fermai les yeux ; elle ne termina pas sa phrase. Je me rappelai la caméra de surveillance. Oui, mon demi-frère, lisant mon nom sur ce bout de papier. Je revis le camion le percuter, le papier échapper à sa main, disparaissant à jamais.

— Tu vas le dire à sa mère ? demanda Carol avec douceur. Après tout, tu as fini par découvrir ce qu'elle voulait savoir.

Est-ce que je le ferais ? La révélation que mon père biologique était Wilson Corbett, et non le jeune homme sans visage mort au Vietnam, comme me l'avait raconté ma mère, déclenchait une cascade de questions. Mais si je satisfaisais la curiosité de Mme Corbett, elle devrait satisfaire la mienne, puisque mes certitudes quant à mes origines venaient de s'envoler aussi brusquement que le papier avec mon nom l'avait fait de la main de Roger Corbett à l'instant de sa mort.

12

Le nom d'un homme

Chaque printemps, il y a un moment où je sens venir l'été. Il fait lourd, ma chemise me colle à la peau. La ville dégage soudain une odeur différente avec la chaleur. Une seconde passe, et pourtant le temps fait une brusque embardée. Et voilà que cela se produisait à nouveau ; depuis que j'avais découvert que Wilson Corbett était mon père biologique, qu'il m'avait recruté pour rejoindre son cabinet, et que j'avais, à mon insu, travaillé à ses côtés pendant des années, j'éprouvais un choc, une sorte de vertige temporel dans lequel j'étais à la fois dans l'instant présent et déjà loin dans le futur, regardant pardessus mon épaule avec incrédulité.

Tous les soirs, quand je passais la porte de notre appartement, Carol ne manquait jamais de me tendre un verre de vin, et, le week-end, elle insistait lourdement pour que nous allions au cinéma. Ces attentions ne m'étaient pas d'un grand secours ;

j'étais dans le même état d'esprit qu'après la mort de ma mère, traversant dans un état d'hébétude des semaines d'appels téléphoniques et de réunions. Juin prit fin. Juillet commença. J'étais mal en point. Je lisais et relisais les lettres photocopiées et les carbones qu'Anna Hewes m'avait confiés, cherchant entre les lignes le code qui expliquerait tout, le mot qui scintillerait dans cette prose guindée, révélant toute l'affection que Wilson Corbett me portait, ou la raison pour laquelle il ne m'avait jamais avoué la vérité. Or les lettres ne montraient aucun sentiment de ce genre, et il me fallait déduire son amour filial des références faites au paiement de mes frais de scolarité, de mes séjours en colonie de vacances, de mon premier ordinateur. Elles ne trahissaient non plus aucune amertume par rapport à ses obligations, mais peut-être était-il trop malin pour laisser transparaître de tels sentiments par écrit. Est-il possible qu'il m'en ait voulu d'exister ? Le fait qu'il m'ait fait venir dans son cabinet suggérait une réponse négative. Mais je n'en étais pas tout à fait certain.

Cela me donnait beaucoup de grain à moudre, et malgré ma première intention, je n'avais toujours pas contacté la veuve de Wilson Corbett. Je ne savais pas non plus si elle avait subi l'opération du cœur qu'elle redoutait tant.

— Il faut que tu l'appelles, me conseilla Carol. Ça te rend distrait.

— Donne-moi trois bons exemples, et je le ferai, promis-je.

— Très bien. Tu as oublié un passant de ceinture en t'habillant ce matin.

Je secouai la tête en signe de dénégation.

— C'est le genre de petit retard à l'allumage typique du passage à la cinquantaine. Peut-être le signe d'un Alzheimer précoce.

— Tu es vraiment affreux, dit ma femme, à moitié sincère.

— C'est quoi l'exemple numéro deux ?

— Tu as oublié de réserver pour Cape May.

Voilà qui était un peu plus sérieux.

— C'est seulement parce que je savais que tu voulais t'en charger. Pour l'instant, tu es à zéro. Tu vas devoir marquer un panier à trois points.

Carol me dévisagea avec insistance. Elle est vraiment plus futée que moi, je ne peux absolument pas en douter.

— Tu as manqué le coup de fil de Rachel et tu ne m'as pas demandé de ses nouvelles.

— Ça vaut trois points, admis-je.

Au mois de juillet nous passons généralement un long week-end à Cape May, dans un de ces vieux et grands hôtels près de la plage. J'aime le côté Amérique profonde de la ville. Les gamins en tongs traînant des serviettes pleines de sable, les bonbons au caramel, le golf miniature, les étendues de corps obèses se faisant rôtir avec contentement sur la plage. J'y suis dans mon élément. Bien sûr, j'ai fréquenté les manoirs huppés recouverts de bardeaux de Bridgehampton, Martha's Vineyard et Mount Desert Island. Blablabla. Donnez-moi Cape May, et vous ferez mon bonheur. Il est plus facile d'y trouver une chambre d'hôtel que de louer une maison, parce que nous ne sommes plus que deux à présent, et puis vous avez toujours une place de parking. C'est un rituel pour nous. Il faut simplement être sur le Garden State Parkway avant huit heures le samedi ; et à treize heures, vous êtes sur la plage, le corps enduit de crème solaire, un peu somnolent à cause du déjeuner.

— Je ne pars pas si tu n'appelles pas Mme Corbett, me rappela ma femme quelques jours plus tard tandis que nous étions installés sur notre terrasse. Tu as promis, tu t'en souviens ?

— J'ai besoin d'une oreille compatissante.

Elle se leva pour arroser les soucis.

— Alors vas-y, parle, parce que je vais être de très mauvais poil si on ne part pas pour Cape May cet été.

Je me posais tellement de questions que je ne savais pas par où commencer. Quand on résumait la chose, j'avais fini par échanger cinq cartons d'un métal rare et précieux introduit illégalement aux États-Unis contre une révision significative de ma biographie, *La Vie de George Young*, version 2.0. Je n'avais toujours pas métabolisé l'étrangeté de cet échange. Toute existence est une série de transactions, évidemment, de notre premier à notre dernier souffle, notre travail échangé contre du pétrole saoudien et du Lipitor, notre foi dans la civilisation offerte en échange d'un accès aux voies prioritaires sur le Garden State Parkway et de la certitude de boire de l'eau non polluée par les terroristes. Mais la plupart de nos transactions sont perceptibles en tant que telles ; nous savons plus ou moins ce à quoi nous renonçons et ce que nous obtenons en échange. La transaction que j'avais faite n'avait pas cette clarté et, en outre, semblait emblématique de l'empire gigantesque et toujours fongible qu'est notre ville de New York, où d'énormes quantités de tout sont échangées contre tout le reste : votre destin contre le mien, l'argent contre la gloire, le temps contre l'argent, le risque contre le retour sur investissement, l'information contre l'argent, le sexe contre l'argent, le pouvoir contre le sexe, l'humour contre le chagrin, et l'amour… l'amour contre tout.

— Pourquoi ma mère ne me l'a pas dit ? finis-je par demander. Elle me devait une explication.

Et pourtant je pensais savoir. C'était parce que j'avais déjà reçu l'amour d'un père, Peter Young, et si je n'apprenais jamais qui était mon véritable père, alors mon père d'adoption, le père que j'aimais sans réserve, ne se trouverait peut-être jamais diminué à mes yeux. Ma mère s'était ainsi montrée fidèle à Peter Young, honorant l'amour qu'il m'avait témoigné. Ce qui soulevait une autre question : pourquoi Wilson Corbett ne m'avait-il lui-même rien dit après la mort de mes parents ? Après tout, nous occupions les mêmes bureaux et nous nous parlions plusieurs fois par semaine, ne serait-ce qu'en passant. N'avait-il pas été tenté de me prendre simplement par les épaules et de me dire que j'étais son fils ? Mais cet aveu aurait peut-être, lui aussi, terni le souvenir de la relation que j'avais eue avec les parents qui m'avaient élevé. Et blessé les deux autres fils de Corbett. Et leur mère. Il avait donc choisi de me recruter dans son cabinet, où il pouvait m'avoir à l'œil et en tirer une discrète satisfaction paternelle. Est-ce qu'il avait souffert de n'avoir jamais pu s'adresser à moi en tant que père ? Je n'arrivais pas à m'imaginer gardant le silence dans les mêmes circonstances, mais nous étions des hommes différents, bien sûr, et si Wilson Corbett avait eu une existence plus riche que la mienne, il avait aussi vécu dans la dispersion. Pour ce que j'en savais, il avait eu d'autres histoires, d'autres relations avec des femmes ou des enfants qu'il n'avait ni abandonnés ni pleinement reconnus. Même si j'en éprouvais une douleur mystérieuse, j'étais incapable de le condamner, ni même, bizarrement, de souhaiter que les choses aient été différentes.

— Ce que je n'arrive pas à comprendre, c'est que tu ne te sois pas rendu compte que ce n'était pas uniquement tes parents qui payaient tes frais de scolarité, tes appareils dentaires, tous ces trucs, fit remarquer ma femme, interrompant mes pensées. Tu connaissais la valeur de l'argent, même petit.

— On ne vivait pas dans le luxe, objectai-je. D'accord, j'allais dans une école privée, mais on n'avait pas de voiture tape-à-l'œil ou quoi que ce soit de ce genre. Je me disais sans doute qu'ils s'en sortaient tout juste.

— Est-ce que ton père aurait pu payer les choses que Corbett payait ?

Je l'ignorais. « Ton père est un investisseur très avisé, m'avait un jour confié ma mère. Même si tu ne l'entendras jamais s'en vanter. » Cela m'avait paru plausible, parce que les fonctions qu'il occupait aux Nations unies le mettaient dans le secret de rapports économiques concernant divers pays africains. Je les voyais traîner dans la maison, empilés notamment près de son fauteuil préféré. Ces documents évaluaient souvent la demande pour certaines matières premières ; peut-être boursicotait-il sur ces produits délicats. Et pourtant je ne me rappelle pas avoir vu le moindre relevé d'opérations de courtage dans la boîte à lettres, ni aucune preuve de cette richesse au moment de la succession. Ma mère le protégeait peut-être, semant cette idée dans mon esprit au cas où je me poserais un jour des questions. En outre, les lettres qu'Anna Hewes écrivait pour Wilson Corbett étaient envoyées à la boîte postale privée de ma mère. Était-il possible qu'elle n'ait jamais révélé à papa l'origine de l'argent ? C'est lui qui gérait les finances familiales, il devait forcément être au courant. Cela signifiait que j'étais le seul à qui l'on cachait les lettres. Elle les récupérait sans doute dans la boîte, retirait les chèques, et jetait lettres et enveloppes. Il y avait, pensai-je alors, une autre façon de considérer ce flux d'argent : bien que papa soit mort d'un cancer du poumon à la cinquantaine, il avait soldé l'emprunt immobilier sur l'appartement assez agréable que ma mère et lui avaient acheté près des Nations unies ; et qu'elle avait fini par vendre pour louer un appartement bien meilleur marché proche de chez moi, le produit de la vente la mettant à l'abri. Mais si mon père avait pu payer l'appartement, c'était peut-être uniquement parce que Wilson Corbett avait pris à sa charge la plupart de mes dépenses. Vues sous cet angle, les largesses de Corbett avaient également profité à ma mère après la mort de papa.

J'en étais à mon deuxième ou troisième verre de vin à présent, et je me traînai jusqu'à notre chambre où je trouvai la photo encadrée de mes parents que je gardais là, prise l'été de mes dix ans, sur un lac du New Hampshire. On voit l'eau, le plat-bord d'un canoë. Ma mère a un peu plus de trente ans et semble heureuse. Papa est bronzé, ses cheveux grisonnent déjà ; il porte de longues pattes à la mode de l'époque. Lui aussi a l'air heureux. Un homme et une femme fixant l'objectif d'un appareil photo, bien trop conscients des années qui filent. S'ils avaient caché des informations capitales sur qui j'étais et la façon dont nous vivions, c'était avec de bonnes intentions et après de longues discussions. Par amour pour moi.

Mais ce genre d'accommodements ne devait pas être facile à vivre, et je considérais maintenant le joint que mon père fumait tous les soirs d'un œil différent. Peut-être fumait-il pour pouvoir supporter ses cachotteries plus facilement. C'est probablement cette habitude qui lui a donné le cancer du poumon, parce qu'il ne fumait pas de cigarettes, et une fois la maladie déclarée, quelques bobards bien intentionnés à son fils adoptif ne devaient sans doute plus le tourmenter beaucoup. Du moins l'espérais-je. Et d'un coup, je l'aimais d'autant plus pour sa souffrance silencieuse. Il y avait tant d'ironie cachée dans cette histoire. Les deux hommes – Peter Young, qui m'avait élevé, et Wilson Corbett, qui m'avait conçu – avaient fait des compromis l'un envers l'autre. Je me demandai s'ils s'étaient jamais rencontrés. C'était possible, supposai-je.

— Bon, George, j'imagine que je vais appeler, me dit Carol quand je rentrai à la maison le jeudi soir.

— Appeler qui ?

— L'hôtel de Cape May. Pour leur dire qu'on ne viendra pas. Ou alors tu veux peut-être y aller tout seul et passer ton temps à te morfondre. (Elle souleva le combiné du téléphone.) Je suis sérieuse, George. Je veux que tu tournes la page pour qu'on puisse continuer à avancer. On a mieux à faire que de discuter des diverses pathologies de feu Wilson Corbett.

— Mieux à faire ?

— Oui, répondit-elle, et on ne le fait pas assez souvent, d'ailleurs.

J'appelai Mme Corbett l'après-midi suivant. Carol avait pris sa journée et chargeait la voiture en prévision du départ, à six heures le lendemain matin. Personne ne répondit. *Tant pis*. L'annuaire de New York, édition 1975, que Roger avait acheté sur eBay était posé sur mon bureau. Je l'ouvris et y cherchai le nom de mes parents, juste pour voir – oui, il y avait effectivement un Peter et une Evelyn Young, sur la 46e Rue est, mais il n'était pas souligné ni rien, une déception pour moi. Roger avait-il appris le nom de ma mère en même temps que le mien, quelques minutes avant de mourir ? Peut-être. Je balançai l'annuaire dans ma serviette et appelai Carol, espérant un sursis.

— Ça ne répond pas chez Mme Corbett, lui dis-je. Qu'est-ce que j'y peux ?

— Ça ne me suffit pas. Va frapper à sa porte.

Je n'arrivais pas à me concentrer de toute façon, remuant des papiers sur mon bureau sans arriver à rien.

— Tu voudrais que je débarque chez elle sans y avoir été invité ?

— C'est elle qui a débarqué dans ta vie, George.

Cet argument étant imparable, j'informai Laura que je partais de bonne heure. Elle me lança un drôle de regard ; ce n'était pas le premier, d'ailleurs. Elle se doutait que quelque chose me tracassait ces derniers temps, mais ne savait pas quoi. Je ne comptais pas lui fournir d'explications. Un jour ou l'autre, elle aurait elle aussi des secrets et des révélations à retourner dans sa tête.

J'avais encore la grosse liasse de billets que j'avais obtenue en vendant le rhodium. J'ouvris le tiroir de mon bureau, me saisis des billets, et me dirigeai vers l'ascenseur, ma serviette à la main.

Dehors, je marchai jusqu'à la cathédrale Saint-Patrick. Je poussai les portes massives et repérai le tronc des pauvres. La liasse pesait lourd dans ma main, et, l'espace d'un instant, je songeai à ce que je pourrais m'offrir avec. Je déployai les billets en éventail. *Ne pense pas, George*, m'exhortai-je. Je divisai la liasse en deux et glissai les billets dans le tronc.

Je sortis et marchai quelques centaines de mètres vers l'est pour prendre un taxi. Le chauffeur lisait ses mails en conduisant, un œil sur la circulation, l'autre sur son portable.

— Hé !

— OK, boss, désolé.

Le taxi roulait à vive allure. La ville est plus tranquille en été, les gens s'en vont. Nous nous arrêtâmes devant l'immeuble de Mme Corbett, sur Park Avenue, un des plus anciens et des plus majestueux édifices de la ville. À l'intérieur, l'air conditionné me souffla au visage. Une impression de luxe.

— Je viens voir Mme Corbett, annonçai-je au très vieux portier irlandais.

Il appela l'appartement, puis m'adressa un signe de tête.

Je pris l'ascenseur et sonnai à la porte. Au bout d'un moment, une infirmière vint ouvrir.

— Elle sait que vous êtes ici, me dit-elle avec un accent des îles. Mais je ne sais pas dans quelle mesure elle sera capable de communiquer.

— Elle a été opérée du cœur ?

L'infirmière parut un instant déconcertée.

— Oh, il n'est plus question de l'opérer, vous savez.

Elle me conduisit dans le salon tout en longueur que j'avais déjà vu, mais cette fois-ci, le voyage se poursuivit le long d'un couloir décoré de documents juridiques encadrés retraçant la carrière de Wilson Corbett – lettres et photos signées par des hommes politiques (y compris Richard Nixon, avant son élection à la présidence), décisions de justice en sa faveur, copie du registre des audiences du jour où il avait témoigné devant la Cour suprême – jusqu'à une immense chambre blanche. Mme Corbett était alitée, un masque à oxygène sur le visage. Autour d'elle, sur les commodes, des dizaines de photos de son mari et de ses deux fils. Il y avait Roger, écolier et jeune joueur de tennis, jeune marié, père, etc. Mon demi-frère. L'un des deux.

L'infirmière se pencha pour retirer le masque à oxygène du visage de Mme Corbett. Ses yeux fatigués s'ouvrirent et clignèrent. La première fois que je l'avais vue, c'était une vieille dame élégante et déterminée ; à présent, elle paraissait simplement très vieille et vulnérable.

L'infirmière s'adressa à Mme Corbett :

— C'est George Young.

Elle hocha la tête.

— Je me rappelle, dit-elle dans un souffle.

— Nous nous sommes parlé il y a quelque temps, dis-je.

— Je me rends bien compte que j'ai l'air diminuée, rétorqua-t-elle avec lassitude, mais je m'en souviens. J'avais beaucoup insisté, n'est-ce pas ?

— En effet.

— Eh bien ? Avez-vous trouvé la réponse à ma question ?

Des réponses, j'en avais beaucoup à lui fournir, mais toutes présupposaient qu'elle sache que j'étais le fils de son mari. Et si ce n'était pas le cas ? Le choc serait terrible. Elle mourrait dans une incertitude plus grande encore.

— Madame Corbett, vous vous rappelez peut-être que je vous avais parlé de la petite amie de votre fils ? dis-je pour gagner du temps. Cette nouvelle ne vous avait pas enchantée.

— Non, confirma-t-elle. Ça ne m'avait pas plu.

— C'est pourtant la vérité. J'ai eu l'occasion de parler longuement avec elle. Elle est tchèque. Plus jeune que votre fils, mais pleine d'expérience et réfléchie. Le soir où il est mort, Roger devait aller la retrouver. Elle lui pardonnait facilement ses défauts, et je crois qu'elle a été un réconfort pour lui.

Pas exactement un mensonge. C'était même suffisamment fidèle à la vérité pour tenir devant un tribunal.

Mme Corbett me lança un regard appuyé, mécontente.

— Qu'avez-vous découvert d'autre ?

— Que vouliez-vous que je découvre, madame Corbett ? Commençons par là.

— Monsieur Young, dit-elle en soupirant, mon fils est venu me poser des questions un mois avant sa mort environ. Je n'avais pas envie d'y répondre. Cela aurait révélé certaines de mes faiblesses supposées de jeune épouse il y a presque cinquante ans de cela. Nous avons eu le genre de dispute qui survient entre mère et fils. Il m'aurait probablement tannée jusqu'à ce que je lui donne satisfaction. Et puis il a cessé de m'interroger.

Elle s'interrompit pour reprendre son souffle.

— Je me suis demandé s'il avait obtenu des informations, ce qu'il avait découvert. Et puis il est mort dans ces circonstances atroces. J'ai dit à Anna que j'aimerais bien savoir ce qu'il avait appris. Elle a suggéré que je fasse appel à vous. Au début, je voulais simplement être fixée. Oui ou non. Et puis je me suis prise à espérer que Roger avait découvert les choses dont je n'avais pas voulu lui parler. Il aurait aimé savoir, en faire quelque chose de positif. Il avait perdu tant de gens, voyez-vous, sa famille, son père, et cette découverte aurait fait revenir quelqu'un dans sa vie. Ça l'aurait rendu heureux, j'en suis convaincue. J'aurais dû répondre à ses questions, j'ai été complètement stupide de ne pas le faire.

— Il ne vous est pas venu à l'esprit qu'Anna savait peut-être ce que Roger avait découvert ?

Ce qui, bien sûr, était le cas, puisque c'était Anna elle-même qui le lui avait dit.

— Elle était d'avis que vous deviez être mis dans la confidence. Anna et moi, nous nous connaissons, monsieur Young, mais nous ne sommes pas amies à proprement parler.

Mme Corbett prit une profonde respiration.

— Nos rapports ont toujours été un peu compliqués. Elle était, je suppose que je dois l'admettre, très proche de mon mari. Elle savait des choses que j'ignorais. Elle devait se sentir mal à l'aise. Elle ne m'a jamais beaucoup aimée.

Ce qui signifiait qu'Anna avait refusé de dire à Mme Corbett ce que Roger savait. Une attitude plutôt cruelle.

— Madame Corbett, commençai-je timidement, je crois que Roger a appelé Anna juste avant de mourir et qu'il a découvert, à cette occasion, le nom d'un homme qui était son demi-frère.

Mme Corbett parut accueillir ces paroles avec soulagement.

— Vous en êtes sûr ?

— Oui.

— Vous ne mentiriez pas à une vieille femme mourante, n'est-ce pas ?

— Je vous en prie, madame Corbett. Je vais même vous le prouver.

J'allai chercher ma serviette et en sortis l'annuaire de New York de 1975. Je feuilletai les pages d'une main et sortis discrètement un stylo de l'autre. « Madame Corbett, j'ai ce… » Je trouvai la page où figuraient les noms de Peter et Evelyn Young, 46e Rue est, et les entourai rapidement, en gardant l'annuaire en l'air pour qu'elle ne puisse pas voir ce que je faisais.

— Roger l'a acheté sur eBay.

Je dissimulai le stylo dans ma paume, le glissai dans ma poche et retournai à son chevet, en espérant que le vieux papier tout sec absorberait rapidement l'encre fraîche.

— Et j'ai trouvé ça. Ce que vous devriez considérer comme une preuve, je pense.

Je m'installai près d'elle, dans une proximité intime, et plaçai doucement l'annuaire devant ses yeux fatigués. Puis je désignai les noms entourés d'un cercle : celui de ma mère, avec laquelle son mari avait eu une liaison au début de 1960, dont était né un fils, et celui de l'homme qui avait élevé ce fils avec tant d'amour. Comme il était étrange de montrer à Mme Corbett le nom de ma mère.

— Ce vieil annuaire appartenait à Roger ? demanda Mme Corbett. Il avait trouvé le nom de la femme en question, la mère du garçon ?

— Oui. Je n'avais pas compris que vous espériez qu'il découvre cette vérité, dis-je en m'écartant.

— Oh si. Je suis sûre que Roger était excité d'avoir fait cette découverte. Il aurait contacté cet homme, je pense.

La voix de la vieille femme n'était plus qu'un râle.

— Vous avez dit quelque chose à l'instant, qu'est-ce que c'était… pardonner les défauts, vous avez dit ?

— Oui.

— Nous devons tous faire cela, admit-elle.

Son regard se perdit dans le vague. De quoi se souvenait-elle ? Avait-elle vécu une existence heureuse ? Est-ce que cela avait encore une importance quelconque ? Puis ses yeux fatigués revinrent se poser sur moi.

— Approchez, s'il vous plaît.

Je m'avançai à nouveau à côté du lit, et Mme Corbett souleva une main décharnée aux articulations épaisses, attendant que je la prenne dans la mienne. Au moment où mes doigts se refermèrent sur les siens, elle répondit à mon étreinte avec une force surprenante. Puis elle me regarda droit dans les yeux.

— Mon mari était fier de toi, George. Il l'a toujours été.

Elle me serra de nouveau la main.

— Très fier de toi.

Mme Corbett relâcha ma main et ferma les yeux avant que j'aie pu lui poser la moindre question. L'infirmière me fit comprendre qu'elle devait lui remettre le masque à oxygène. Je me reculai. Mme Corbett inspira lentement et profondément. J'attendis de voir si elle ouvrirait à nouveau les yeux, si elle me regarderait encore à présent que tout était changé, mais elle ne le fit pas.

Remerciements

C'est Ilena Silverman, rédactrice au *New York Times Magazine*, qui, à l'origine, m'avait commandé ce court roman, publié en quinze feuilletons hebdomadaires. Elle a un talent sans pareil, et a amélioré cette histoire à tout point de vue. Les suggestions judicieuses d'Aaron Reticker et Bill Ferguson, également du *Times*, ont affiné le texte. Ce fut un plaisir de travailler avec eux. Je suis aussi redevable à Gerry Marzorati, le rédacteur en chef du magazine, qui a donné son aval au projet et offert ses commentaires éclairés à mesure que nous approchions de la publication.

Chez Picador, je dois beaucoup à David Rogers, qui a fait des suggestions très pertinentes et m'a aidé à débarrasser le texte des répétitions propres au feuilleton et à donner à cette histoire une forme pleinement romanesque. David m'a également soufflé le titre, ce dont je le remercie. Ma reconnaissance va également à Frances Coady, Henry Sene Yee, David Logsdon et Susan M. S. Brown.

Mon éditrice française, Françoise Triffaux, chez Belfond, m'a donné de précieux conseils, et je lui en suis extrêmement reconnaissant.

Chez Farrar, Straus et Giroux, Jonathan Galassi et Sarah Crichton ont eu la générosité de céder à mon désir de voir cette histoire publiée sous forme de livre. Merci à vous deux. Chez ICM, Kris Dahl continue à me prodiguer ses sages conseils et à me faire profiter de son expertise. Merci, Kris.

Mes remerciements vont aussi à Joan Gould, une amie de longue date de la famille, pour son éclairage concernant le profil socio-économique de Mamaroneck, État de New York.

Je voudrais enfin remercier Susan Moldow et Nan Graham, qui n'ont pas compté le temps passé sur ce projet.

Et, comme toujours, ma femme, Kathryn.